HEREN VAN DE WEG

Van Michael Chabon verscheen eveneens
bij uitgeverij Anthos

MICHAEL CHABON

HEREN VAN DE WEG

VERTAALD DOOR
CHRISTIEN JONKHEER &
GERDA BAARDMAN

GEÏLLUSTREERD DOOR
GARY GIANNI

ANTHOS|MANTEAU

De vertalers ontvingen voor deze vertaling een werkbeurs van
de Stichting Fonds voor de Letteren

ISBN 978 90 414 1318 5 (voor Nederland)
ISBN 978 90 223 2288 8 (voor België)
© 2007 Michael Chabon
Illustraties binnenwerk © 2007 Gary Gianni
Kaart schutbladen © 2007 David Lindroth Inc.
© 2008 Nederlandse vertaling Ambo|Anthos uitgevers,
Amsterdam, Christien Jonkheer & Gerda Baardman
Oorspronkelijke titel *Gentlemen of the Road*
Oorspronkelijke uitgever Del Rey
Omslagontwerp en -illustratie Roald Triebels, Amsterdam

Verspreiding voor België:
Uitgeverij Manteau, Antwerpen

Voor Michael Moorcock

Al mijn luister zou ik willen verzaken, mijn hoge aanzien opgeven, mijn familie achterlaten om over bergen en heuvels, land en zee te gaan tot ik de plaats bereik waar mijn Heer Koning regeert, opdat ik niet slechts zijn luister en heerlijkheid en die van zijn horigen en dienaren aanschouw, maar ook de vrede der Israëlieten. De aanblik zou mijn oog verkwikken, mijn lendenen zouden zich verheugen, van mijn lippen zouden lofprijzingen opstijgen aan God, die zijn benarden zijn goedertierenheid niet heeft onthouden.

brief van Hasdai Ibn Shaproet
vizier van de kalief van Spanje, aan Jozef,
heerser van Chazarië, circa 960

'Van nu af aan zal ik u de steden beschrijven,' had de khan gezegd, 'op uw reizen zult u zien of ze bestaan.'

Italo Calvino, De onzichtbare steden

Inhoud

Illustraties

De Frank plantte de punt van de ponjaard in de tafel, naast het
shatranjbord, zodat de stukken dooreenschoven.

20

'Hij grijpt alles aan voor de kans naar huis terug te vluchten om wraak
te nemen, de wraak van een dwaas.'

32

'Alstublieft, heer. Naar thuis, alstublieft, u brengt mij.'

42

'Vrienden,' riep hij in het Arabisch, met een stem als een schor geblaf.

51

'Hoor je dat geluid, jongen?' vroeg Amram. 'Dat is Zelikman.'

67

Uit de houten poorten stroomden en slingerden in lange slierten van mannen, vrouwen en dieren, de stadsbewoners die hun leven achter zich lieten.

73

◆

HOOFDSTUK EEN

Over onmin, zijnde het gevolg van buitensporige gehechtheid aan een hoed

Sinds jaar en dag verblufte een beo de reizigers die de karavanserai aandeden met zijn vermogen in tien talen schunnigheid uit te braken, en voordat het gevecht losbarstte dacht iedereen dat het die oude smiecht met zijn blauwe tong op zijn zitstok bij de haard was geweest die de Afrikaanse reus met zoveel verve had bezwadderd. De Afrikaan, die al zijn aandacht bij het kleine ivoren shatranjbord met de stukken van hoorn en ebbenhout had, en bij de stoofpot van kikkererwten, wortel, gedroogde citroen en schapenvlees waar de karavanserai vermaard om was, troonde met zijn brede rug naar de vogel op de plek het dichtst bij de haard, waar hij vrij zicht had op de deuren en het raam met de open luiken en de blauwe schemering erachter. Op deze zoele najaarsavond in het koninkrijk Arran in de oostelijke uitloper van de Kaukasus zochten alleen de Afrikaan en de beo, beiden uit smoorhete jungles afkomstig, een plek om hun botten te warmen. De precieze herkomst van de Afrikaan was een mysterie gebleven. Zijn gevoerde grijze bambakion met de gerafelde kap, die hij droeg over een haveloze witte tuniek, duidde op een vroeger emplooi in de legers van Byzantium, terwijl de bronzen oogjes van zijn veterlaarzen vermoedens wekten van een verblijf in het westen. Niemand had durven navorsen of hij de taal verstond van de bekende keizerrijken, kanaten, emiraten, hordes en koninkrijken. Met zijn huid die glansde als het patina op een koperen ketel, zijn ogen vrouwelijk als die van een kameel, en zijn glimmende schedel afgebiesd met kroeshaar waarvan de zilvertoon op een ouderdom wees die uitsluitend voor de taaisten was weggelegd, en vooral, met die onbewogenheid van hem die alleen de onnozelste nieuwkomer op deze kleine dwarstak van de zijde-route niet zou herkennen als teken van zijn moorddadig karakter, leek de Afrikaan vragen uit de weg te gaan of niet te zullen tolereren. Onder de reizigers in de karavanserai welde dan ook bewondering op voor de durf van de vogel toen hij in zijn voortreffelijke Grieks leek te beweren dat de Afrikaan zijn eten tot zich nam op een wijze die te verwachten viel van het bastaardjong van een kaalkopgier en een Barbarijse makaak.

Nadat de schimpscheut was afgevuurd at de Afrikaan heel even door, zonder op te kijken van het shatranjbord, ja, zonder blijk dat hij de opmerking had gehoord. En toen, nog voordat iemand besefte dat laster van een dergelijke verfijning zelfs het talent van de beo te boven ging en dat de vogel ditmaal aan de bekladding part noch deel had, stak de Afrikaan zijn linker-hand in zijn rechterlaars met een beweging zo vloeiend als die waarmee een valkenier zijn dodelijke lieveling in het lucht-ruim loslaat, pakte zijn fonkelend Arabisch staal bij de grove greep die omwikkeld was met repen leer, en zond het over de zitbanken op jacht.

Noch de baardeloze knaap die vlak naast de prooi zat, noch

de eenogige mahout die de knaap begeleidde zou ooit het gefluit vergeten waarmee de ponjaard door de lucht sneed. Met het geluid van een brief die wordt opengeritst door een ongedurige hand doorkliefde hij de bol van de breedgerande hoed op het hoofd van het slachtoffer, een vlasblonde bonenstaak uit verre nevellanden die die middag uit de richting van Tbilisi was komen aanrijden. Het was een scharminkel met spillebenen en een sombere blik, met haar dat als twee gele gordijntjes aan weerskanten van zijn langwerpige, krijtwitte gezicht hing. Er klonk een zinderend zingende nagalm, zoals bij een pijl die zich in een boom boort. De hoed schoot het scharminkel als ter illustratie van zijn verbazing van het hoofd, en bleef steken in een balk van de lemen muur achter hem terwijl hij een uitheemse kreet slaakte in de hoekige boeventaal van zijn vaderland.

In de haard zonk een gloeiend kasteel van sintels tot as ineen. De mahout hoorde de ijzeren tik van een ketel kokend water in de keuken. De banken kraakten, en sommige reizigers markeerden hun hoop op een gevecht met een klodder spuug.

Het Frankische scharminkel glipte onder zijn vastgespietste hoed vandaan, liet een vinger door de scheiding van zijn vlasblonde haar glijden en ontvouwde zich, ledemaat voor ledemaat. Hij keek van de Afrikaan naar de hoed en weer terug. Zijn mantel, broek, kousen en laarzen waren zwart, in scherp contrast met de bleekheid van zijn zachte handen en de goudglimmende baardstoppels op zijn wangen en kin; als hij geen priester was, dacht de mahout, wiens mensenkennis onvermijdelijk voortvloeide uit zijn inzicht in de olifant, dan moest hij wel een geneesheer zijn of een exegeet van halfvergane teksten. De Frank vouwde zijn armen voor zijn magere bovenlijf en nam de Afrikaan op langs de meetlat van zijn benige neus. Hij hield zijn hoofd schuin en toonde het scheve lachje van de wijsgeer die met meewarig amusement het vruchteloos bedrijf van de mens beziet. Maar zelfs met zijn ene oog was het de oude mahout duidelijk dat het scharminkel woedend was over de schending van zijn hoed. Zijn sombere kleren waren van kostbare stof en ondanks het reizen smetteloos, wat erop duidde dat hij hun voorkomen, evenals dat van hemzelf, behandelde met fanatieke zorg.

De Frank stak twee lange vingers en een duim in de wond in zijn hoed en wrikte met een pijnlijk gezicht de ponjaard uit de balk. Hij draaide de bevrijde hoed rond in zijn handen, en het scheen de mahout toe dat hij de neiging moest onderdrukken hem te strelen, zoals hijzelf het borstelige achterdeel van een geliefde vrouwtjesolifant zou strelen als ze stierf. Met een blik van onmetelijke ernst, alsof hij zich tot de beeltenis van een huisgod richtte, overhandigde de Frank de hoed aan de knaap en bracht hij de ponjaard door het vertrek heen naar de Afrikaan, die zich allang weer aan de stoofpot wijdde.

De Frank liet de Afrikaan, opnieuw in vloeiend Byzantijns Grieks, weten: 'Ik geloof dat u het gereedschap waarmee u uw hoeven schoonschraapt hebt verloren.' Hij plantte de punt van de ponjaard in de tafel, naast het shatranjbord, zodat de stukken dooreenschoven. 'Indien ik mij omtrent de aard van uw onderste ledematen vergis, verzoek ik u mij te vergezellen naar de binnenplaats van dit huis, zodra het u schikt, maar bij voorkeur binnenkort, opdat u mij met het pedagogische instrument uwer keuze kunt onderrichten.'

De Frank wachtte af. De eenogige mahout en de knaap wachtten ook, vol spanning. Bij de deur naar de binnenplaats van de herberg, waar de waard geleund stond, werden fluisterend weddenschappen afgesloten, en de mahout hoorde het gerinkel van munten en het gepiep van het krijt dat gehanteerd werd door de waard, een Svaniër die geen oog had voor het verschil tussen de winst die hij opstreek door zijn gasten te verzorgen en de winst die hij opstreek door ze te zien sterven.

De Afrikaan kwam overeind, waarbij zijn hoofd langs de spanten van het schuine dak schampte, en zei in het zangerige, verbasterde Grieks dat in zwang was bij de huurtroepen van de keizer in Constantinopel: 'Ik moet u tot mijn spijt meedelen dat mijn gehoor deelt in de algehele aftakeling van het afgeleefde zwarte oude wrak dat u hier voor u ziet.'

Hij rukte het Arabisch staal uit de tafel en liet het op zoek gaan naar de strot van de Frank, een speurtocht die pas eindigde op een afstand van de bleke knook van diens keel die niet groter was dan het scherpe lemmet breed was. De Frank deinsde achteruit en viel tegen twee Armeense wolkooplui aan die hij woedend aankeek alsof hun gestuntel en niet zijn eigen lafhartige instinct tot zelfbehoud hem zijn evenwicht had doen verliezen.

'Maar de strekking is me duidelijk,' zei de Afrikaan terwijl hij de ponjaard weer in zijn laars stopte. Op de lei van de waard keerden de kansen zich zienderogen tegen de Frank.

De Afrikaan borg het shatranjbord en de stukken op in een leren buidel, veegde zijn mond af en baande zich een weg langs de Frank, langs de zich rekkende halzen aan de banken, en liep de binnenplaats van de herberg op om de man die hem gehoond had te doden, of door hem gedood te worden. De mannen dromden achter hem aan naar de met toortsen verlichte binnenplaats, beker wijn in de hand, met hun onderarm hun

De Frank plantte de punt van de ponjaard in de tafel, naast het shatranjbord,
zodat de stukken dooreenschoven.

bebaarde kin afvegend, en de wapens van de strijdende partijen werden van het rek in de stal gehaald.

Als het merendeel der gokkers al op de Afrikaan had gewed vóórdat de wapens gehaald werden, vanwege zijn omvang, de spanwijdte van zijn armen en zijn moorddadig voorkomen – zijn beweringen van naderende ouderdom, die iedereen als tactiek opvatte, ten spijt –, de bewapening van beide mannen gaf de doorslag. De Frank voorzag zich slechts van een lange, potsierlijk dunne priem waaraan hij in het uiterste noodgeval nog een paar vogels (mits niet te dik) had kunnen roosteren boven een vuur. De reizigers maakten zich vrolijk om 'de kleermaker met zijn naald', om daarna de mysterieuze wapenkeus van de Afrikaan te beschouwen: een enorme Vikingbijl, het heft een orgie van in elkaar grijpende runen, de halvemaan van het blad met kille glans, als in triomfale heugenis aan alle hoofden die het ooit van spuitende halzen had gehakt.

Onder de volle maan van de maand mehr en bij het gesputter van toortsen omcirkelden de Afrikaan en de Frank een strijdperk van aangestampte aarde. De Frank, nuffig knipmes op hoge spillepoten, richtte de punt van zijn priem op het hart van de Afrikaan, en wierp van tijd tot tijd een blik op zijn mooie zwarte laarzen die zich een weg zochten door de archipel aan vijgen van kameel en paard. De Afrikaan schuifelde zijn cirkelgang op vreemd krabachtige wijze, knieën gebogen, blik strak op de Frank, de bijl losjes in de linkervuist. De eigenzinnige, bijna liefdevolle wijze waarop ze zich opmaakten om elkaar te vermoorden roerde de oude mahout, die ontelbare strijdolifanten in het doden had getraind en daarom oog had voor de professionele benadering waarmee dit tweetal het gevecht aanging. Maar de andere reizigers, die elkaar verdrongen onder de overhangende dakspanten en bogen van de binnenplaats en niets afwisten van de intimiteit van het bloedvergieten, raakten ongedurig. Ze jutten de kemphanen op, maanden ze tot spoed zodat ze verder konden met eten en daarna naar bed. Uit ondraaglijke verveling verdubbelden ze hun inzet. Het nieuws van het duel had zich verspreid tot het dorp heuvelafwaarts, en bij de toegang tot de binnenplaats dromden vrouwen, kinderen en tengere mannen met heldhaftige snorren en treurige trekken. Jongens klommen op het dak van de herberg, schudden met hun vuist en jouwden terwijl de Frank en de Afrikaan de laatste aarzeling uit hun hoofd banden.

Toen leek de bijl, zoemend, de Afrikaan naar de buik van de Frank mee te trekken. Het blad ving het toortslicht en beschreef een boogrune van vuur in het duister. Het Frankisch scharminkel sprong weg, keek scherp toe en ontdook de bijl die zijn hoofd kwam zoeken. Hij liet zich op een schouder vallen, rolde over de grond, verrassend lenig voor zo'n warpotig scharminkel, en veerde op achter de Afrikaan, die hij een schop voor zijn achterwerk verkocht met een blik van zulke kinderlijke ernst dat de toeschouwers weer in lachen uitbarstten.

Het was een strijd tussen kracht en beweeglijkheid, en wie zijn geld op dat eerste had gezet had aanvankelijk vertrouwen in zijn favoriet met de grote Noormannenbijl, maar de getergde Afrikaan hanteerde die bijl met slinkende finesse. Hij verbrijzelde een enorm aarden vat met regenwater en doorweekte een tiental woedende reizigers. Hij versplinterde de spaken van een hooiwagenwiel, en terwijl de ernstige Frank danste, rolde en uithaalde met zijn dunne priem, bonkte de dolle bijl tegen de keien zodat de vonken in het rond spatten.

De toortsen sputterden en aan de nachthemel week de bloedkleur uit de klimmende maan. Een jongen die het tweegevecht op het dak volgde, boog zich te ver voorover, viel en brak zijn arm. Er werd wijn gehaald, vermengd met schoon water uit de put en in kommen aan de duellerenden overhandigd, die nu bloedend uit vele wonden over de binnenplaats rondwankelden.

Toen wierpen ze de wijnkommen terzijde en stelden zich recht tegenover elkaar op. De opmerkzame mahout zag de ogen van de Afrikaanse reus even oplichten, maar niet door het schijnsel van de toortsen. En weer sleepte de bijl de Afrikaan mee, als een strijdros dat zijn dode berijder aan de hiel meesleurt. De Frank wankelde achteruit, en op het moment dat de Afrikaan langszij kwam boorde hij de vierkante neus van zijn linkerlaars in diens lies. Alle mannen op de binnenplaats krompen met instinctief meegevoel ineen terwijl de Afrikaan zwijgend voorover dreunde. De Frank dreef zijn belachelijke zwaard in zijn zij en rukte het er weer uit. Na een paar stuiptrekkingen bleef de Afrikaan roerloos liggen, terwijl zijn donkere – maar niet zwarte, zoals iemand vaststelde – bloed de grond tot modder maakte.

De waard gebaarde naar een paar stalknechten, die de dode reus met moeite naar een leegstaande stal buiten de muren van de karavanserai sleepten waar ze een oude kamelenhuid over hem heen wierpen.

De Frank trok zijn manchetten recht en zijn kousen op, liep de karavanserai weer in en sloeg de gelukwensen en de goedmoedige scherts van de verliezende gokkers af. Ook drinken sloeg hij af, ja, hij leek in de nasleep van het gevecht door somberheid te worden overmand, of misschien nam zijn natuurlijke neiging tot noordelijke melancholie weer bezit van zijn gelaat en zijn gemoed. Hij werkte zijn stoofpot naar binnen en vertrok. Hij liep naar de beek achter de karavanserai om zijn gezicht en handen te wassen en glipte daarna de vervallen stal in, waar hij zijn vernielde hoed afnam als in eerbetoon aan de moed van zijn tegenstander.

'Hoeveel?' vroeg hij toen hij binnenkwam.

'Zeventig,' zei de Afrikaanse reus, die de veters van zijn vilten bambakion, waar hij in de drenktrog het namaakbloed uit had gespoeld, aan zijn zadelknop vastbond. Hij reed op een grote, gespierde Akhal-Teke, een roodgevlekte hengst die Porphyrogene heette. 'Genoeg voor een dozijn mooie nieuwe zwarte hoeden voor jou als we in Rages aankomen.'

De Frank keek neer op het gat in de hoge bol. 'Ik wil het woord hoed niet meer horen. Daar word ik treurig van.'

'Geef toe dat het een mooie worp was.'

'Niet half zo mooi als deze hoed,' zei de Frank. Hij legde de hoed terzijde en trok zijn hemd op: schuin onder zijn middenrif liep een vurige rijtwond, beparreld met wasachtige druppels bloed. Over zijn holle buik kronkelden bloedstroompjes. Hij keek weg en klemde zijn kiezen op elkaar toen de Afrikaan hem depte met een doek, en daarna een dik zwart smeersel aanbracht uit een pot die de Frank in zijn zadeltas had zitten. 'Die hoed was me bijna even dierbaar als Hillel.'

Op dat moment liet het dier in kwestie, een wollige hengst met een ramsneus, een uitzinnige boog van een nek, korte stevige benen en een breed kruis – het product van een clandestien rendez-vous tussen een arabier en een wilde tarpan – een waarschuwend gesnuif horen, en er klonk geschraap van een leren zool over stro.

De Frank en de levende Afrikaan draaiden zich om naar de deur. Ze verwachten de waard, dacht de oude olifanttrainer, met hun aandeel in de winst, waaronder vier van de zuurverdiende dirhams van de mahout zelf.

'Dekselse bedriegers,' zei de mahout waarderend terwijl hij naar het gevest van zijn zwaard greep.

◆

HOOFDSTUK TWEE

Over betaling – en problemen als onvermijdelijke toegift

Vloeiend zoals een zeerob zijn vloeken hanteert greep de Afrikaan achter zich naar de Vikingbijl (waarvan de naam, die in runen op het essenhouten heft was uitgesneden, ruwweg te vertalen viel als 'Schender van je moeder'), maar vijf woordjes hielpen de hartelijke betrekkingen in stand te houden tussen hoofd en nek van de indringer, een pezig, met een kort zwaard bewapend oudje, een Pers zo te zien, met een knobbelig litteken waar eens zijn rechteroog had gezeten en een curieuze spotlach. Talloze malen had de Frank, die Zelikman heette, zijn makker de Moederschender zien heffen om een onbezonnen slimmerik die de ware aard had geraden van de duels waartoe de vrienden zich soms door tegenspoed moesten verlagen, met een doffe klap van vlees en bot het zwijgen op te leggen. Er restte de indringer misschien nog één ademtocht om van zijn scherpzinnigheid te genieten, een adem die de Pers wijselijk benutte met de woorden: 'Houd uw geld dan maar.' Hij stak zijn korte zwaard weer in de schede, hief een drievingerige hand van het gevest en stak die, met zijn viervingerige weder-

helft, in de lucht. Aan zijn rechterheup droeg hij een rijkge-
sierd wapen of werktuig, een uit ivoor gesneden staf met een
wonderlijk dubbel blad, als een speerpunt die een snoeimes
baarde. 'Ik hoef het niet, vrienden. Geen goud was ooit zuurder
verdiend. Niemand in deze streek zal ooit méér van mij vernemen, Nubiër,' ging de man verder, die zijn opmerking eerder
aan Moederschender richtte dan aan Amram, die trouwens uit
Abessinië kwam, 'dan dat u koud en levenloos onder een kamelenhuid lag en ik sprak met uw schim.'

Amram huiverde, en zijn lippen bewogen een beetje terwijl
hij geluidloos de Abessijnse spreuk zei die moest verhinderen
dat het bij name genoemde onheil werkelijkheid werd. Amram
noemde zichzelf een jood, een zoon uit de bloedlijn van de
koningin van Sheba, die gelegen op huiden van steenbokken
en luipaarden met Salomo, de zoon van David, had verkeerd,
maar voor zover Zelikman ooit had kunnen vaststellen waren
Amrams enige goden die van vet fortuin en mager ongeluk.
Niettemin koesterde hij bijgelovige opvattingen over geesten
en lijken, en alleen het profijt van de schijnduels dreef hem tot
het risico de aandacht van de Dood op zijn ongebruikelijk
lange levensspanne te vestigen. Het grapje van de tengere oude
Pers maakte Amram nerveus, en ook Zelikman verheugde zich
niet op het vooruitzicht dat de reusachtige zwarte geest van
zijn kameraad bij hem rond kwam spoken.

'Wat wil je dan, oude cycloop?' vroeg Zelikman, die zijn
hemd weer over de wond trok die hij omwille van de geloof-
waardigheid bij het gevecht had opgelopen. De wond schrijn-
de pijnlijk door de werking van de zalf, een mengsel van wijn,
honing, moederkoren en mirre dat Zelikman had leren berei-
den van zijn oom Elkhanan, die behalve rabbijn en grote wijze

van de stad Regensburg ooit lijfarts was geweest aan het hof van Milaan. De wond was niet diep, maar het schrikbeeld van ettering en rot joeg Zelikman vrees aan zoals dat de God zijner vaderen, alle pogingen ten spijt, nooit was gelukt, en daarom trotseerde hij het smeersel van zijn vrome oom, al werd hij er korzelig van. 'Die spotlach op je gezicht staat me niet aan.'

'Ik lach niet, ik zweer het u,' zei de Pers. 'De dwalende slagtand die me mijn oog ontroofde heeft ook de spieren van mijn wang doorboord. Na heling van de wond bleek ik met deze schijngrimas van minachting begiftigd.' De misvorming in zijn wang verdiepte zich. 'Al komt die nu ik niet langer onder de olifanten verkeer meestal wel van pas.'

'Ik heb enige oefening als chirurgijn genoten,' zei Zelikman, en hij trok Lancet, het dunne wapen dat de reizigers in de karavanserai zoveel reden tot vermaak had gegeven, om daarmee mogelijke lijnen en inkepingen te schetsen op nog geen halve centimeter van de goede wang van de mahout. Lancet was een nog wonderlijker instrument dan de olifantsstaf van de ander, dacht Zelikman: randloos en scherp bij de punt, onbuigzaam, maar evenwichtig in de hand, en als krijgstuig slechts geschikt voor het oordeelkundig doorboren van organen. Het was op bestelling gesmeed door dezelfde instrumentenmaker die de rabbijn-geneesheren van Zelikmans familie voorzag van hun scalpels en vlijmen voor het aderlaten, ter slinkse omzeiling van de Frankische wet, die joden niet toestond wapenen te dragen, zelfs niet ter zelfverdediging, en zelfs niet als een bewapende bende je moeder en zuster gillend uit hun keuken sleepte en ze op straat liederlijk geweld aandeed terwijl jij, als jongen, mesloos moest toezien. Geweld, omstandigheden, de roekeloosheid van een afvallige en een toevallige ontmoeting met een Afrikaanse huurling hadden Zelikman ertoe gebracht in opdracht mensen te vermoorden en Amram had hem geleerd zijn werk met zorg te verrichten, maar Zelikman was van nature en afkomst een genezer, en al was het als zwarte humor begonnen, nu koesterde hij Lancet vooral om de zegen van zijn onfeilbare steek. 'Misschien moest ik de andere kant maar passend bijwerken. Om je een lach te geven die beter je tevredenheid met de wonderen van deze wereld weergeeft.'

Nu was het de beurt van de oude mahout om nerveus te worden van een grapje. Hij deed een stap bij Zelikman vandaan.

'Hebt u mijn jonge reisgenoot al gezien?' vroeg hij. 'Filaq, kom tevoorschijn. Ik noem hem Filaq, dat is Perzisch voor...'

'Olifantje,' zei Amram. Hij was een bijna even groot talenwonder als de onhebbelijke beo.

'Ja. Nu zou je het aan die bottenboel niet zeggen, maar toen hij jong was, was de naam hem op het lijf geschreven.'

Achter een berg vers hooi vandaan stapte de knaap aan wie Zelikman vlak voor het gevecht zijn hoed had toevertrouwd. Weerspannige schouders, dunne polsen, sproeten en groene ogen, gehuld in berenbont te warm voor deze avond en te mooi voor een stoffige karavanserai die stonk naar lastdieren en kaas – de knaap had nog geen dons op kin of lip, maar was bijna even lang als Zelikman, en uit zijn rozige teint, de glans van zijn kortgeknipte roodbruine haar en de mengeling van schaamte en hooghartigheid in zijn blik, kon de geneesheer uit Regensburg vijftien à zestien jaar afleiden van goed eten, schone kleren en de wetenschap dat zijn wensen altijd ingewilligd werden. In de donkere nacht die Zelikmans ziel was binnengeslopen na de teloorgang van zijn hoed, die hem op de markt van Ravenna dertig dukaten had gekost, ontstak Fortuna's hand een flauw pitje. De knaap in het berenbont verspreidde een aroma sterker dan paardenmest, kaas of eenogige Pers: de geur van geld.

'Hier hebben we iemand wiens veilige overdracht meer oplevert dan uw vertoning, dat kan ik u verzekeren,' zei de mahout.

'Wij verlagen ons niet tot het eisen van losgeld,' zei Amram, weliswaar geen geneesheer, maar niettemin een kenner van de gebreken van de mens. 'En geven ons niet af met wie zich daartoe wél verlagen.'

'Maar ik heb hem niet ontvoerd.'

'En toch valt met één oogopslag te zien,' zei Amram, die Zelikman met een licht knikje van zijn met zilver omzweemde hoofd beduidde dat het tijd was om Hillel te zadelen voor het vertrek naar de open plek op een twaalftal stadiën gaans van het dorp, waar ze de waard zouden treffen met de gage voor hun voorstelling, 'dat hij hier niet uit vrije wil is.'

'Dat zal ik niet ontkennen,' zei de mahout op een toon van grote vermoeidheid. 'Zoals hij me dag en nacht laat weten. Sinds ons vertrek uit Atil is hij al drie keer ontsnapt.'

'Atil,' zei Zelikman, terwijl het flauwe, sputterende pitje standvastiger opvlamde. 'Is hij een Chazaar?'

Bij het woord 'Chazaar' begon de knaap langzaam te knikken, en nu vlamde er ook in de goudstenen ogen hoop. De knaap sprak een paar woorden die klonken als Turks en verblufte Zelikman toen met een dromerig geprevelde frase in de heilige taal van de joden. Zijn barbaarse accent maakte de woorden onverstaanbaar, maar ze bleven zwaar van heimwee, en bij Zelikman wekten ze een innig verlangen naar het legendarische koninkrijk van wilde roodharige joden ten westen van de Kaspische Zee, de joodse joerts en pinakels van Chazarië.

'Is er echt een land,' vroeg Zelikman in de heilige taal aan de knaap, 'waar een jood als koning over andere joden heerst?'

'Wat zei hij daar?' vroeg de mahout scherp, gespitst op de listen en lagen van zijn jonge pupil. 'Waar heeft hij het over?'

'We bespreken het voorstel van de jongen om jou te vermoorden, cycloop, en hem terug te brengen naar Atil, waar zijn familie ons rijkelijk voor zijn terugkeer zal belonen,' zei Zelikman, al had hij van alle woorden die de jongen in de heilige taal had gezegd er maar één herkend: *thuis*.

'Dat dat gebeurt lijkt me onwaarschijnlijk,' zei de oude vechtjas. 'Maar niet onwaarschijnlijk dat hij het gezegd heeft, want hij grijpt alles aan voor de kans naar huis terug te vluchten om wraak te nemen, de wraak van een dwaas.' Hij greep het ivoren handvat van zijn ankusstaf en wendde zich tot de knaap. 'Dwaas!' riep hij op een toon alsof hij een onwillig dier bestrafte. 'Wat moet je, zo zwak en zonder vrienden?'

De wangen van de knaap liepen rood aan en hij keek kwaad naar zijn begeleider, wiens permanente spotlach wrang toepasselijk leek.

'Nee,' zei de mahout, 'uit die hoek hoeft u geen beloning te verwachten lijkt me, aangezien zijn ouders en ooms vermoord zijn, en zijn tantes en zusters aan bordelen en zijn broer aan de galeibanken van de Varjagen zijn verkocht. En hij hier zal ook verkocht of vermoord worden als we hem niet kunnen afleveren voordat ze ons inhalen. We hebben nu een dag voorsprong, misschien niet eens. Wat me op u brengt, heren. Ik probeer deze heethoofdige dwaas in veiligheid te brengen bij de fami-

'Hij grijpt alles aan voor de kans naar huis terug te vluchten
om wraak te nemen, de wraak van een dwaas.'

lie van zijn moeder, in Azerbeidzjan, waar ik hem binnen de muren van zijn grootvaders huis wil installeren omdat de vader van zijn moeder als een taaie snuiter bekendstaat. Toen ik vanavond uw schouwspel gadesloeg, bespeurde ik niet alleen het bedrog maar ook de dodelijke kunst die de toeschouwer om de tuin leidt. Ik moet tweehonderd mijl rijden en aan huurmoordenaars ontkomen voor ik goed en wel kan zeggen dat ik mijn plicht heb volbracht en zou u beiden zeer graag aan mijn zijde hebben om me bij te staan.'

En hij noemde een bedrag dat overeenkwam met vijfmaal het salaris van een tienman in het leger van Byzantium.

'Wat hebben zijn familieleden gedaan,' vroeg Amram langzaam terwijl hij naar de jongen bleef kijken, 'dat iemand ze allemaal wil uitroeien?'

'Zijn vader,' zei de mahout, 'was de beg, of krijger-koning van de Chazaren. En mijn meester. Ik verzorgde de koninklijke strijdolifanten, negenenveertig dikhuiden uit Afrika en Hind. Sommige heb ik meer dan dertig jaar onder mijn hoede gehad. Ik durf wel te bekennen dat ik ze als mijn vrienden beschouwde. Dat geldt ook voor deze knaap. Hij is bij wijze van spreken opgegroeid in de olifantenhokken. Evenzeer als tussen de pronk en poeha van het hof.'

De jonge prins had iets lomps of eigenaardigs, wat Zelikman aanvankelijk aan inteelt had toegeschreven maar nu als de vrucht van zijn opvoeding tussen de olifanten opvatte.

'Afgelopen voorjaar,' ging de mahout verder met een stem die wegzakte in schorre smart, 'kwamen de pokken, uit Perzië, en die hebben al die arme grote jongens de dood ingejaagd of verminkt. En omdat de beg altijd zoveel ophef maakte over zijn olifanten (waarvan de keizer in Byzantium er maar zevenenveertig heeft, dat staat vast), op zijn eigen blazoen een olifant liet afbeelden, enzovoorts, ja, waren die sterfgevallen niet best. Een veeg teken, ziet u. Onder degenen die al tegen de beg samenspanden waren er die door die pokken moed vatten. Een generaal, Boeljan heet hij, grijpt zijn kans en lokt de arme oude olifantengek op de weg naar Kiev in een hinderlaag. Installeert zichzelf meteen in de citadel van Qomr. En sindsdien gaat Boeljan heel nauwkeurig te werk om iedereen – broers, vrouwen, zoons – uit de weg te ruimen die gevoelens van wrok zou kunnen koesteren over de hele gang van zaken.'

Amram nam zijn paard bij de teugels, leidde het naar de staldeur en zei: 'Het spijt me van je dieren, vriend. Maar tot politiek verlagen wij ons ook niet.'

'Even onder vier ogen graag, Amram,' zei Zelikman.

Ze stuurden de Pers en de knaap de binnenplaats op en begonnen toen, zoals voor hen sinds jaar en dag gebruikelijk was bij een tweesprong van het lot, te bekvechten als een stel viswijven uit Regensburg. Hun eerste twistpunt betrof de vraag of ze wel tijd hadden om te twisten, of dat twisten ze de afspraak met de waard op de open plek zou kosten, het volgende wiens schuld het was geweest dat die herbergier even buiten Trebizond ze nooit had uitbetaald, en ten slotte slaagde Zelikman erin het gesprek terug te brengen op het onderwerp van de olifantenjongen en zijn grootvaders vesting in Azerbeidzjan, en het snel verdiende geld dat zijn aflevering daar zou opleveren, waarop ze weer hun oeroude discussie hervatten over wiens definitie van 'snel verdiend geld' het minst te rijmen viel met de bewezen praktijk, wie er bang was en wiens moed in de recente loop van hun samenwerking openlijker aan het licht was getreden. Vervolgens discussieerden ze over de algehele billijkheid van die jarenlange overeenkomst en wie van hen er de meeste lasten van droeg, hetgeen weer onherroepelijk leidde tot de kwestie van de hoed, en of de vereisten der aannemelijkheid die aanslag wel rechtvaardigden. Amram wilde net een oud fiasco in Tergeste op gaan rakelen toen er buiten de stal een zacht gekreun weerklonk, en daarna een licht galmende slag, als van een klok met een omfloerste klepel, die in Zelikmans oren het onmiskenbare timbre had van een schedel die tegen een houten plank bonkte.

Buiten troffen ze het lijk aan van de onfortuinlijke mahout, uit wiens keel een pijl met zwarte veren stak. Ze doken ineen en speurden de daken af, maar het was te donker om iets te kunnen zien. Zelikman hoorde achter zich ademen en toen hij omkeek zag hij de knaap achter een regenvat met zijn handen voor het gezicht geslagen. Gevoelens van medeleven met jongens in tranen waren Zelikman vreemd, nadat hij op een ochtend omstreeks zijn vijftiende verjaardag bij het ontwaken tot de ontdekking was gekomen dat, wellicht evenzeer als gevolg van zijn studie der menselijke gebreken en zwakheden als door de verkrachting van en moord op zijn moeder en zus, zijn hart in steen was veranderd.

'Kop dicht,' zei hij tegen de knaap, en hij fluisterde dat in het Grieks, Hebreeuws, Arabisch, Slavisch en om de hand vol te maken ook nog in het Frankisch, waarbij hij hem bezwoer als de gesmeerde bliksem zijn bek te muilkorven. 'Of jij krijgt ook een pijl in je lijf, en wel van mij.'

Maar er was geen tijd dat dreigement tot uitvoer te brengen, want voor ze het wisten kwam er een dronken reiziger uit de grote gelagkamer van de karavanserai naar buiten gestommeld die de achter een wagenwiel weggedoken Amram in de gaten kreeg.

'Daar zit de Nubiër!' riep de reiziger nadat zijn eerste schrik was geweken, en met die kreet rukte hij zijn metgezellen bij hun drinkbekers weg.

'Waarom zijn we ook niet vertrokken toen ik zei dat dat moest,' zei Amram.

Waarop ze werden besprongen door de mannen uit de gelagkamer, in een brullende dronken chaos van vuisten, laarzen en verwensingen waarbij die van de grofgebekte beo verbleekten. Een stel Avaren stormde naar de schuur waar de wapens opgeslagen lagen. Zelikman krabbelde overeind en stompte en sloeg zich een weg terug naar de stal. Hij joeg de paarden naar buiten, liet ze door het kluwen boze reizigers denderen en sprong op Hillels rug terwijl Amram zich in zijn eigen zadel vocht. Met een mezair, een keertwending naar links en twee capriolen liet Zelikman zijn paard door de kluit mannen dansen. Twee snelle halen met Lancet bevrijdden de beurs van de riem van de waard. Daarna galoppeerden ze door de poort van de binnenplaats de weg op.

Ze doken de beschutting van de bossen in en stormden voort door plant en struik en strepen maanlicht, en pas toen ze weer de weg opzochten en zuidwaarts reden naar Azerbeidzjan zag Zelikman de knaap achter Amram op het paard, waar hij zich om het middel van de grote man vastklemde, en omkeek naar de maanverlichte weg achter hen en zijn steeds verder in het verschiet verdwijnende thuis, waar die weg heen voerde.

◆

HOOFDSTUK DRIE

Over de lasten en ongemakken
van de weg

Wat de verdiensten van hun gezelschap ook geweest mochten zijn, de Chazaarse olifanten hadden Filaq blijkbaar geen manieren bijgebracht, want zijn beschermers waren nog geen mijl van de karavanserai met hem verwijderd of hij begon ze te verwensen en dat hield hij dagenlang vol, in een gorgelende, dubbelrietse taal die speciaal voor dat doel geschapen leek. In de vier nachten van hun reis naar Azerbeidzjan, waarin ze hun weg zochten over kronkelende paadjes en door donderende kloven – ze vermeden de hoofdweg en reisden uitsluitend in het donker – onderbrak de knaap zijn litanie alleen om te eten, weg te dommelen in het zadel of gehuld in zijn berenbont in hun kampvuurloze kamp, en om de twee vluchtpogingen te wagen die hen uiteindelijk dwongen hem vast te binden aan de achterste zadelboog.

De vluchtpogingen volgden op norse verzoeken zijn blaas te mogen legen, een handeling die de knaap weigerde te verrichten in de nabijheid van zijn gastheren, hetgeen Zelikman voor olifantenzedigheid aanzag en Amram voor arrogantie, waarbij hij opmerkte dat prinsje Filaq natuurlijk goud poepte en dadelwijn piste. Toen Filaq voor de tweede keer niet op kwam dagen en ze honderd stadiën over een met doornstruiken begroeide, van wespen vergeven heuvelhelling hadden moeten ploeteren om hem terug te halen, hadden de twee hem vastgebonden, maar omdat hij nog steeds weigerde ze met de aanblik en geur van zijn koninklijke uitscheiding te vereren, zag Amram zich van tijd tot tijd genoodzaakt de knaap aan een leren leidsel ver het struikgewas in te voeren en hem daar geruime tijd aan een boom gebonden achter te laten voor hij hem weer ophaalde.

'Ik ben tot een nieuwe diagnose gekomen,' zei Zelikman, die in de schaduw zat van een beervormig uitsteeksel van groen graniet, met zijn gehavende hoed diep over zijn ogen, trekkend aan een Iers stenen pijpje dat hij stopte met een mengsel van hennepzaad en honing. Hoewel Amram er niet aan meedeed, moedigde hij het gebruik wel aan, want de pijp bracht zijn maat tot een mildere kijk op de onvolmaaktheden die de schepping ontsierden, waarvan de joden van Abessinië een menigte fanatieke boze geesten de schuld gaven, maar die Zelikman toeschreef aan het feit dat er aan de schepping geen goddelijk plan te pas was gekomen, zoals bij de chaos van schaal, schelp en wier in een strandpoel, een ketterij die een door grotere vroomheid geteisterde man dan Amram zou hebben geschokt en die Zelikman zelf, zoals al zijn ketterijen, geen enkele troost bood. 'De familie van de Chazaarse beg heeft alleen maar de *schijn* gewekt dat ze allemaal door die Boeljan vermoord zijn, zo graag wilden ze voor altijd verlost zijn van die knaap hier.'

Amram, die boven op de rots gehurkt zat, knikte, terwijl hij luisterde naar het sissen van Filaqs plas tegen de helling en omlaag keek over de grijsgroene ribbels, grijsbruine afgronden en voren van graniet in de berghelling naar de vallei waar ze de vesting van de grootvader zouden aantreffen, met zijn kloeke muren en de schatkist die zich voor de nobele redders zou openen. Hij ontwaarde een streepje rook. Aan de overkant van de vallei begon nog een laatste halfslachtige poging tot uitloper voor de Kaukasus uitkwam op zee.

'Misschien hebben ze zich zelfs laten vermoorden,' zei Amram. 'Voor alle zekerheid.'

Zelikman bekende dat hij de afgelopen paar dagen in Filaqs scabreuze gezelschap ook zelfmoordgedachten had gekoesterd, waarop Amram in het Ge'ez een formule uitsprak die het boze oog afweerde, want Zelikman leed soms aan buien van zwartgalligheid waarin hij dacht aan de dodelijke tincturen die hij in zijn zadeltassen vervoerde – en die hij op een naargeestige nacht in Trebizond ook daadwerkelijk had ingenomen.

'De jongen kan natuurlijk gek zijn van verdriet,' ging Zelikman verder op dromerige toon, en hij liet zijn hoed nog verder zakken terwijl de rook van het Ierse pijpje zijn toverwerk deed. 'Hij heeft zijn vader en moeder verloren. Zijn kroon en zijn paleis. En zijn olifanten. Misschien moeten we medelijden met hem hebben.'

'Goed idee,' zei Amram. 'Jij mag eerst.'

Er klonk geen geluid meer van de helling boven hen. Hij keek achterom en zag dat Filaq al halverwege de kam was, waar hij voortklauterde met zijn handen in het glijdende grind, en zich naar zijn thuis haastte dat vele mijlen noordwaarts lag, zijn thuis en de doden. Amram spuide een veeltalige reeks vloeken de oude beo van de karavanserai waardig, sprong van de rots af en snelde Filaq met lange passen van zijn pompende benen achterna. De zon brandde op zijn hoofd, hij zweette, de doornen haakten zich in zijn kleren, maar hij zat al twintig jaar lang de geest van zijn gestolen dochter, Dinah, achterna, in dromen, over de wegen, door vorstendommen, en een onbeschofte Chazaar betekende niets voor iemand die op de geest van een meisje joeg.

'Nee,' zei Filaq in gebroken Arabisch toen Amram de resten van de riem greep, die hij had stukgekauwd, en hem in de schaduw van een hoge spar sleurde. 'Alstublieft, heer. Naar thuis, alstublieft, u brengt mij.'

Hij viel op zijn knieën; zijn grote ogen, schitterend als het groene schild van een scarabee, liepen vol tranen, en met deerniswekkende inspanning putte hij uit de kleine voorraad die hem ter beschikking stond van het rijke Arabische arsenaal aan smeking en vleierij om Amram met kreupele frases te verzekeren liever doodgemarteld te worden in Atil nadat hij tenminste geprobeerd had zich op Boeljan te wreken, dan zijn dagen onder de hoede van zijn grootvaders liefdadigheid te slijten.

Amram wendde zijn blik af, in verwarring gebracht door dit nieuwe vertoon van respect door iemand die hem nog geen uur daarvoor lepreuze uitwassen en etteringen had toegewenst. Hij trok Filaq overeind, waarbij hij als een man die de geschiedenis van zijn liefdesavonturen overziet, terugdacht aan zijn verre jeugdjaren, toen hij wraak gezocht en soms gevonden had. Toen bond hij de doorgekauwde riem weer vast, waarbij hij ditmaal drie repen dooreen vlocht om het koord te versterken, en sleepte Filaq door de braamstruiken terug naar Zelikman die nog in de lengende schaduw van de rots de vruchteloze paradoxen of filosofische beuzelarijen lag te overdenken waarmee hij zich beneveld door zijn pijp vermaakte. Toen hij Amram zag terugkomen, stond hij op en liep op de knaap af.

'Alles eindigt in de dood,' zei hij in de heilige taal. 'Dat weet je toch?'

Zijn gezicht stond vriendelijk en hij sprak hem als een mentor met zachte stem toe. Filaq knikte.

'Daarom is wraak overbodig. Zinloze inspanning. Eens resten van Boeljan alleen botten in de aarde. En dat geldt ook voor jou en voor mij en die kolos die jou aan de lijn heeft. De wrake behoort God alleen.'

'Ik wil dat hij lijdt,' zei Filaq. 'Door de hel gaat, kronkelt van pijn.'

Zelikman knipperde met zijn ogen, legde toen zijn hand op Filaqs schouder in een gebaar van liefdevol verwijt.

'Jij en God hebben veel gemeen,' zei hij. 'Blijf je nu rustig achter me zitten of moeten we je enkels ook vastbinden?'

Filaq leek de vraag in alle ernst te overwegen.

'Mijn enkels ook maar vastbinden,' zei hij.

Aldus geschiedde, en daarop tilde Zelikman Filaq op en slingerde hem over de schoft van zijn paard. De knaap mopperde een tijdje en wenste de testikels van Zelikmans grootvader enigszins te laat gezwellen toe, maar toen ze de vesting naderden kroop hij stilletjes in elkaar en leek zich eindelijk bij zijn lot neer te leggen.

Op drie kilometer heuvelopwaarts van de vesting beseften ze dat de rook te dik en te vet was voor een vuilnishoop of kookvuur. De wolken kolkten ziedend omhoog. Ze bonden de paarden vast in een bosje langs een beekbedding waar een smal koud stroompje doorheen liep en slopen toen langs de bedding verder tot op tweehonderd meter van het fort. Uit zijn

'Alstublieft, heer. Naar thuis, alstublieft, u brengt mij.'

leren zak nam Zelikman het wonderlijke glazen voorwerp dat zijn enige erfstuk was: een stel platte heldere kralen, die door een Perzisch genie zodanig achter elkaar in koperdraad waren gevat dat je er dingen in de verte gedetailleerd mee kon waarnemen. De vrienden gaven elkaar de Perzische kijker door en namen het fort om beurten in ogenschouw: het was een groot huis van hout, leem en steen op een kegelvormige heuvel waarvan de voet omgeven was door dikke muren. Het brandde furieus en zond golven zwarte rookkolommen omhoog die onderaan dooraderd waren met vlammen en die bulderden als de mond van een grot. De zware houten poorten hingen versplinterd door strijdbijlen te roken, de borstwering was bekranst met dode gehelmde schildwachten, gesneuvelde aanvallers, bewapend op z'n Turks, en blootshoofdse knechten en bedienden die hun dood tegemoet waren gegaan met keukenmessen en hooivorken in de hand. Over alles hing een geur van brandend hooi, hout en een zoete stank van knisperend vet, die zowel overwinnaars als overwonnenen hoonde met dat blijk van hun gedeelde hoedanigheid als aas voor de wouwen en gieren, die al lome nullen trokken door de hoge blauwe lucht.

Vanuit hun veilige beekbedding keken ze naar het brandende fort tot de roofvogels landden en als koninkjes over de muren stapten; toen bonden Amram en Zelikman de onthutste knaap aan een overhangende wilgentak, slopen naar de verbrijzelde eiken kaken van de poort en snelden met getrokken wapen naar binnen.

Er zong iemand. Amram hoorde krassende snaren en een melodieuze maar rasperige stem – van een oude man of vrouw – en ze volgden het geluid over een kronkelpaadje naar de heuveltop, door zuigende modder, een impasto van aarde en bloed, langs de met vliegen overdekte karkassen van vrouwen, kinderen en verdedigers dooreen, al met al zo'n vijfendertig mensen, onder wie een stokoude vrouw en een zuigeling. Amram prevelde bij dit smartelijke bloedbad onophoudelijk gebeden voor de zielen van de vermoorden, en voor de zijne. Boven op de heuvel zat op een emmer in de overdekte ingang naar het grote huis een oude man zonder ogen; hij kraste op een kalebas met twee snaren en zong daarbij zonderlinge melismen op een zinneloze tekst.

Zelikman overzag de verkoolde overblijfselen van een voorraadruimte waar in vettige plassen nog steeds de resten borrelden en knetterden van wat op elkaar gestapelde balen wol waren geweest. 'Fijne jongens.'

'En zoveel. Of de mahout heeft ze onderschat, of die Boeljan heeft het aantal mannen dat onze jonge vriend achternazit opgevoerd. Ik zie sporen van minstens een dozijn paarden.'

Ze verspilden een uur met rondsnuffelen in vertrekken en bijgebouwen die aan de vlammen waren ontkomen of genoeg waren afgekoeld om doorzocht te kunnen worden. Maar de opslagruimten en provisiekamers waren tot as gereduceerd, en de schatten van het huis die aan de plunderende greep van de agressors waren ontsnapt, moesten ten prooi gevallen zijn aan het vuur. Ze keerden ten slotte met lege handen – op een paar mooie, zij het geschroeide geitjes na – naar de beekbedding terug. Toen ze de wilg naderden waar ze Filaq hadden vastgebonden stonden ze voor de vraag, die Amram dan ook aan Zelikman stelde, wat ze nu met hun beschermeling aan moesten.

'Er is op dit moment geen reden hem niet als ons rechtmatig eigendom te beschouwen,' redeneerde Zelikman. 'Een heer van de weg, een struikridder die de benaming waardig is zou hem naar de dichtstbijzijnde slavenmarkt brengen om te zien wat hij opbrengt.'

'Dat verklaart dan helaas ons opvallende gebrek aan succes in deze stiel, Zelikman,' zei Amram. 'Want dat ben ik niet van plan.'

'Nee,' zei Zelikman treurig. 'Ik ook niet.'

Maar bij de wilg troffen ze geen knaap meer aan, alleen de rafels van een kameelleren sjortouw die als wilgentakken wiegden in de wind. Amram was weliswaar verbouwereerd, maar vanuit zijn kijk op het leven tot berusting geneigd, en wilde verdergaan. Wellicht had hij Zelikman van de wijsheid dezer aanpak kunnen overtuigen, maar toen ze de paarden wilden ophalen die ze in het hakhout hadden vastgebonden, troffen ze daar wel hun zadeltassen en Porphyrogene, maar geen spoor van het goud uit de herberg of van Hillel, de half-arabier met de krullerige vacht en de grote neus.

Haastig bonden ze de geitjes vast, haakten ze aan het zadel van Porphyrogene en gingen, achter elkaar gezeten, op pad. Belast met twee ruiters kon zelfs een sterke hengst als een Akhal-Teke de snelheid van de soepele, tredzekere Hillel niet evenaren, en tegen de tijd dat ze aankwamen bij de pas en de hoofdweg die met lome zwenkingen naar de kust van de Kaspische Zee afdaalde en vandaar noordwaarts liep naar de stad Atil, lag slechts in Filaqs relatieve onervarenheid en wankele geestestoestand nog enige hoop dat ze hem zouden inhalen, en, belangrijker, ook Zelikmans paard, waarvan het verlies hem al in een somberheid stortte die meer dan afgrondelijk dreigde te worden, temeer daar het effect van zijn henneppijp allang was uitgewerkt.

'Dit vervloekte land waar je ons hebt heen gebracht heeft me al mijn hoed gekost. Om nog maar te zwijgen van die zak met goud. Maar als het me ook nog Hillel gaat kosten zal ik je dat eerst recht euvel duiden.'

Amram weerhield zich ervan, zij het met moeite, hem erop te wijzen dat dit Kaukasische tochtje uit de koker van Zelikmans eigen pijpproes stamde. Verderop had hij al de omgewoelde aarde gezien, en de schacht van een zwartgevederde pijl die uit een door de bliksem getroffen boom stak aan de rand van een open plek vijftien meter daarachter. Hij sprong uit het zadel en ging in gebogen gang, schuifelend op zijn hakken, verder om het alfabet te lezen van de hoefafdrukken en de sporen van een worsteling.

'Boeljans achtervolgers hebben hem te pakken,' zei hij na een tijdje toen hij de tekst in de aarde voldoende bestudeerd had. 'Dáár hebben ze hem aangehouden. Hij heeft zich verzet. Eén van hen neergeslagen. En hier hebben ze hem vastgebonden en op een paard gezet. En zijn weer vertrokken. Noordwaarts.'

'Waarom hebben ze hem niet vermoord?' vroeg Zelikman. 'Toen ze hem eindelijk hadden?'

'Misschien hebben ze dat wel gedaan. Maar ik zie er geen sporen van.'

'En Hillel? Ja. Daar zie ik zie afdrukken van hem.'

Hij ging onder de door de bliksem getroffen boom zitten, en Amram zag hem wegzakken, zoals je de zon in het westen ziet wegzakken in zee, de donkere afgrond in van zijn gedachten. Ze hadden al weinig kans gehad om Hillel te achterhalen, maar hun situatie was nu nog hopelozer, want zelfs al haalden ze de groep huurmoordenaars op de een of andere manier in, dan nog stonden ze tegen een overmacht van minstens twaalf tegen een.

'Opstaan,' zei Amram.

Zelikman keek naar hem op, en zijn met roet besmeurde, uitdrukkingsloze gezicht werd overspoeld door een loodzware vermoeidheid, even onherroepelijk en snel als koud zwart zeewater binnenstroomt in een lekgeslagen sloep.

'Het maakt toch niets uit?' zei Zelikman.

Amram trok zijn ponjaard en richtte die, zoals onlangs in de karavanserai, op minder dan een vingerbreedte afstand van Zelikmans keel. 'Jawel. Ik heb nog liever jouw dood op mijn geweten, of anders een week moeizaam te paard en een bende huurmoordenaars op mijn nek, dan nog een maand of langer jouw gelamenteer te moeten aanhoren.'

Zelikman bestudeerde de ponjaard en het gezicht van zijn maat, en leek de drie door Amram aangereikte mogelijkheden in alle ernst te overwegen. Toen stak hij zijn hand uit, en Amram trok hem overeind.

'Sinds wanneer heb jij een geweten?' vroeg Zelikman.

'Dat is bij wijze van spreken. En, wat wordt het?'

Zelikman rukte de speer uit de verkoolde stam, overhandigde hem aan Amram en haalde zijn schouders op.

'Ik doe het alleen omdat ik weet hoe Hillel wegkwijnt zonder mij,' zei hij.

◆

HOOFDSTUK VIER

Over de vervanging van de ene engel en de ene goede zaak door de andere

Alles wat er van de door Alexander tijdens zijn mislukte verovering van Kaukasië opgerichte tempel restte en van die mislukking en de ondergang van zijn goden getuigde, was een door de wind geteisterd postament en het kaarsstompje van een gecanneleerde zuil, waartegen een gemankeerde schurk die Hanukkah heette aanhing, met zijn rechterhand over de wond in zijn omvangrijke buik, zoals hij al twee lange dagen en nachten met groeiend ongeduld zat te wachten op de engel des doods.

Hij was mislukt als boer, als handelaar in huiden, als soldaat en nu als huurmoordenaar, een stiel die hij in een moment van onbezonnenheid had opgepakt als vervanger te elfder ure van een beter gekwalificeerde moordenaar, wiens gewelddadige loopbaan was geëindigd in een taveerne, op de avond voordat de groep uit Atil vertrok op jacht naar de laatste nog in vrijheid verkerende overlevende van Boeljans greep naar de macht.

De overige vijf huurmoordenaars die net als Hanukkah de zaak van hun opdrachtgever – of in elk geval diens goud –

trouw waren gebleven, lagen als de omgevallen restanten van een zuilengalerij bij de ruïne in het rond. Tussen hen in lagen twee van hun voormalige kameraden, die door de hooghartige houding van hun gevangene en de belofte van meer goud waren overgelopen. De stank die twee dagen zonneschijn uit hen distilleerde werd zoetjes in de richting van Hanukkahs neus gevoerd door de wiekslagen van twee roofvogels die in hun stemmig zwart binnen een paar uur na de slachtpartij voor een feestmaal waren aangekomen.

Naast hem lag in de kromming van zijn linkerarm een leren waterzak waarin nog een paar slokken helder water zaten, die hij zich sinds zonsopgang al ontzei in de hoop zijn verscheiden te bespoedigen. Zijn buikwond gaf hem niet veel pijn meer, wat hij opvatte als het gunstige teken dat de engel de andere zaken die hem hadden opgehouden nu had afgehandeld en zich naar hem toe haastte om hem te halen. De wroeging die Hanukkah in de eerste uren van zijn wake had gekweld, was vervaagd tot een filosofische spijt over de vergeefsheid die alle streving van de mens aankleeft. Enkel en alleen omwille van zijn vruchteloze wens het geld te verkrijgen dat hij nodig had om zijn geliefde Sarah vrij te kopen, een hoer in een bordeel aan de Steurstraat, had hij zijn wapenen in dienst gesteld van de moordzuchtige Boeljan. Hanukkah had niets tegen de oude beg en had hem juist altijd beschouwd als een bekwame leider die trouw en schatting verdiende. Aan de plundering van het fort in Azerbeidzjan had hij ongaarne meegedaan, en het uur dat de overval duurde had hij achter in een stal weggedoken gelegen onder een hooiwagen.

Al had hij een week daarvoor het idee nog als ketterij beschouwd, toen hij daar zo hing te wachten tot hij aas zou worden, kwam het in hem op dat de mollige, vrolijke Sarah zijn lijden en dood misschien niet waard was, want ze kauwde immers met haar mond open en als ze te veel melk had gedronken gaven haar veesten een onrustbarende zwavelgeur af.

Maar toen hij de reizigers in het oog kreeg, een reus van een Afrikaan en een scharminkel met een zwarte hoed, samengepakt op de brede rug van een groot gevlekt paard dat de instorting nabij leek, vergat Hanukkah zijn voornemen en nam hij een diepe, warme teug uit zijn waterzak. De aanblik van levende wezens die, naar hij aannam, zich niet met aas voedden, wekten bij Hanukkah ondanks zijn buikwond opnieuw de wens zijn bestaan nog even te rekken, en wellicht zijn mollige Sarah nog eens terug te zien.

'Vrienden,' riep hij in het Arabisch, met een stem als een schor geblaf.

De Afrikaan trok het wankelende paard met de gespikkelde lippen en de wilde ogen aan de teugels en de reizigers stegen af, de Afrikaan met vermoeide waardigheid en een onbewogen gezicht, en het scharminkel met grimassen en tekenen van pijn in de onderdelen. De grote man zadelde het paard af, ontdeed het van zijn deken en leidde de gevlekte hengst weg bij de vermoorde mannen en roofvogels naar een puntje plukkerig gras in de weinig overtuigende schaduw van een knoestige jeneverbes. Een paar roeden achter de boom liep een smal stroompje helder water; het paard legde zijn oren plat toen hij het rook en snoof, één keer. De Afrikaan klopte hem op de nek en sprak hem toe in een fluwelen taal, en toen Hanukkah de reusachtige bijl ontwaarde die de reus op zijn rug had hangen begon hij zijn besluit de aandacht op zichzelf te vestigen te betreuren, want bij soldaten ging vriendelijkheid jegens paarden vaak

'Vrienden,' riep hij in het Arabisch, met een stem als een schor geblaf.

samen met een neiging tot wreedheid jegens de mens.

Het gedrag van de tweede man was nog verontrustender, want terwijl de Frank op de vervallen zuil af kwam lopen waar Hanukkah met zijn hand het leven in zijn lijf lag te houden, vermeed noch negeerde hij de aanblik van het bloedbad om hem heen maar leek het juist aandachtig te bestuderen, waarbij hij af en toe stilhield om naast een lijk neer te hurken om de aard van de wonden en de ligging te onderzoeken. Ten langen leste kwam hij bij Hanukkah en keek hem aan met bleke, bijna kleurloze blauwe ogen die overschaduwd werden door de brede rand van zijn zwarte hoed. Ogen helder en koud als de ondergang die ze Hanukkah leken aan te kondigen.

'Bent u de engel des doods?'

'Nog erger, bolle,' zei de bleke onbekende. 'Ik ben de engel der dwazen.'

Hij pakte Hanukkahs rechterhand en probeerde die uit de zwaardwond te trekken. Zijn blik mocht dan kil lijken, zijn aanraking en houding hadden iets geruststellends en Hanukkah stribbelde niet tegen. Maar hij klemde zijn buik al zo lang en zo stevig vast dat zijn elleboog zich niet meer wilde strekken en zijn hand onwrikbaar vastgekoekt zat in het geronnen bloed.

'Niet weggaan,' zei de Frank, en al leek het ondenkbaar in dit vijandig oord dat door het lot was uitgekozen als de plek van Hanukkahs dood, hij bedoelde het blijkbaar als het soort grap niet ter vermaak, want er was ook weinig vermakelijks aan, maar ter geruststelling – door de indruk te wekken dat Hanukkah nog genoeg leven in zich had om dat met beleefd veinzen te ontzien.

'U bent een geneesheer,' besefte Hanukkah, en bij wijze van

antwoord stond de Frank op, haalde uit de zadeltassen die de reus had neergegooid een grote leren buidel met een trekkoord en een rol stevig doek, dichtgebonden met een lint, en bracht die mee terug naar zijn patiënt tussen de dode mannen. Hij rolde het doek open, onthulde een aantal ijzeren instrumentjes waarvan Hanukkah zich de werking liever niet voor de geest haalde, en maakte de leren riem van de buidel los. De zwarte reus was ondertussen begonnen aan een eigen inspectie van de pleisterplaats, waar Hanukkah en zijn gezellen drie dagen daarvoor een geroosterde geit en een geroofd vat sharab hadden gedeeld en iemand zo dom was geweest de prop uit de mond van de knaap te nemen om te zien of hij, volgegoten met drank, iets leuks zou zeggen of doen. De Afrikaan lette niet alleen op de lijken maar ook op de ligging van de bomen, rotsen en de weg, de voetafdrukken in het zand, de stand van de zon aan de hemel. Toen Hanukkah hem zo zag, bedacht hij dat hij in niets méér kon verschillen van het bleke, blonde scharminkel, maar toen de Afrikaan naast zijn vriend kwam staan lag er in hun ogen dezelfde zekerheid over het weinige dat over Hanukkah het weten waard was: een schamel handjevol fatale feiten.

'Mond open,' zei de Frank. Hij hield Hanukkah een pijpje voor met de kleur van oud ivoor, de kop gevuld met een akelig ogend bruin mengsel, en toen Hanukkah zijn gebarsten lippen uiteen deed, sloeg hij een vuursteen tegen de pijpenkop en spoorde Hanukkah aan de dikke honingrook in zijn longen te zuigen. Hanukkah moest hoesten, trok toen weer aan de pijp, en algauw onderging hij de sensatie dat hij in gutsende golfjes volstroomde met amberkleurige honing, die zich uitgoot door zijn mond en hals tot in de fles van zijn ziel. Het scharminkel pakte zijn arm weer en schoof die nu van zijn buik, als een losgemaakte ceintuur van een kleed.

Toen Hanukkah bijkwam zat hij, ineengedoken, op zijn eigen paard, met een brandend gevoel in zijn maagstreek en zijn armen rond het middel van de man die zijn leven gered had en die nu in een vreemde taal een twistgesprek voerde met de Afrikaan op zijn roodgevlekte hengst. De zon was weggezakt achter de berghelling waar aan de oostrand de weg van Azerbeidzjan naar Atil liep, pal langs de kuststrook van de Chazaarse Zee. De lucht tintelde, het licht was weemoedig, de Frankische geneesheer stonk geducht en Hanukkah wist dat hij in leven zou blijven.

'Dank u,' zei hij, of probeerde hij te zeggen, maar door zijn rauwe keel en vastgekoekte lippen klonk het niet luid genoeg om de woordenstrijd tussen de Afrikaan en de Frank te verstoren. Hij zei, in het Arabisch: 'Dank u voor het vinden van mijn paard.'

De Afrikaan onderbrak de repliek die hij de Frank verbolgen toevoegde, keerde Hanukkah zijn grote hoofd toe en zei: 'Heb je er bezwaar tegen dat deze man het meeneemt als beloning voor het redden van je leven? Mits we overeenkomen je ergens heen te brengen waar water, voedsel en onderdak is voordat we afscheid nemen?'

Het was een redelijk, aanvaardbaar voorstel, maar door de verongelijkte toon van de Afrikaan was Hanukkah te zeer op zijn hoede om grif in te stemmen.

'Ik weet niet of mijn leven dat wel waard is,' zei hij. 'Maar als de geleerde heer de voorwaarden aanvaardbaar acht...'

'Ik hoef die oude knol van je niet,' zei de Frank, en de botten van zijn rug tekenden zich af onder het stoffige zwarte leer van zijn wambuis. 'Ik wil Hillel. En zeg nu niet wéér dat een paard maar een paard is, Amram, want het verleden, de omstandigheden en ik hebben dat argument al talloze malen weerlegd.'

'De huurmoordenaars hebben twee dagen voorsprong,' zei de Afrikaan. 'Ze zijn zwaar bewapend op weg naar een koninkrijk waar we geen belangen hebben en geen vrienden. Behalve dan dat mormel, dat half-Arabische liefje van je, waarvoor je nu dankzij de gulheid van deze beste Chazaar een prima vervanging hebt, kan achtervolging van die jongen ons niets opleveren.'

'Ons geld,' zei de Frank. 'Dat heeft hij ook.'

'Helaas niet,' zei Hanukkah. 'Dat is verdeeld tussen de honden die mij en de anderen aan hun zwaard hebben geregen bij de belofte van meer als de jongen veilig in Atil terugkeert, en een nóg grotere beloning als zijn familie de drievoet van de beg weer in handen krijgt. Hij heeft een oudere broer, Alp, die door de troonrover als slaaf aan de Varjagen is verkocht en wiens zaak de knaap naar voren bracht, samen met de inhoud van zijn, of liever uw, zak goud.'

'De koning van het grote land der Chazaren regeert met zijn kont op een driepoot?'

'De beg is niet onze koning,' zei Hanukkah, en hij probeerde uit te leggen hoe de Chazaren in hun wijsheid als enig beschaafd volk ter wereld een manier hadden ontdekt waardoor de mens tot zijn profijt en zonder veel gevaar voor zijn zielenheil twee meesters kon dienen. Enerzijds had je de beg, die in de roezige straten van Atil toezicht hield op de dagelijkse gang van zaken, de profane wereld van oorlog en handel; anderzijds had je boven de beg – en boven alle Chazaren, als belichaming van hen en hun belangen, en als hun spreekbuis tot God en al Zijn engelen – de kagan in zijn paleis op zijn heilige eiland midden in de rivier de Atil, wiens woord wet was en wiens aangezicht nooit werd aanschouwd.

'Een kagan is de vader, de moeder en de geliefde van zijn gehele volk. Niemand zou hem een haar krenken,' zei Hanukkah. 'Maar een beg heeft veel vijanden, en Boeljan heeft er bijzonder veel. Die vijanden zijn misschien al op zoek naar iemand om het tegen Boeljan op te nemen. Het lijkt me dat de jonge Filaq makkelijk mensen kan vinden die het losgeld voor Alp willen betalen. Daarna zou het een kwestie zijn van soldaten ronselen, en ik wil u wel zeggen, want ik heb het met eigen ogen gezien, dat die jongen raad weet met soldaten. Hij heeft tweederde van ons zover gekregen dat ze zowel onze baas hebben verraden als het overige derde deel – waaronder helaas ikzelf.'

'Omdat de zaak van Boeljan je zo lief is?'

'Nee,' zei Hanukkah. 'Omdat ik... vooral omdat ik niet van koerswijzigingen houd, denk ik. Ik ben nogal traag van beslissen.'

'Traag van begrip.'

'Zo u wilt. Maar toen ik besloot om mee te gaan op deze vervloekte reis, deed ik dat in een opwelling, en u ziet hoe dat heeft uitgepakt.'

De Frank draaide zich om op zijn paard en monsterde Hanukkah langdurig voordat ze aan de laatste klim voor de pas begonnen. Als ze die hadden bedwongen, zouden ze de eerste glimp opvangen van de Chazaarse of Kaspische Zee, wier kille wateren niet kouder waren dan de ogen van de Frank tijdens hun diagnose van Hanukkahs hart.

'Je hebt het zeker om een vrouw gedaan,' zei de Frank.

'Om Sarah.' En Hanukkah vertelde over de jonge slavin, hoe

hij Boeljan zijn dodelijke diensten had aangeboden om haar vrij te kopen. 'Ik had eerlijk gezegd nog nooit van die Filaq gehoord voor ik dit vervloekte karwei aannam. Nooit enige belangstelling gehad voor vorstelijke stambomen of voor politiek. Er zit natuurlijk veel meer achter dan ik ooit...'

Toen ze bij een bocht in de weg kwamen, schrok de oude knol van Hanukkah, steigerde, en sprong zijwaarts een bosje in voordat de Frank hem weer op het juiste spoor had, waarop ze even stokstijf bleven zitten kijken naar de dode mannen die langs de kant van de weg keurig op een rij, als de chirurgische instrumenten in zijn rol, lagen uitgestald. Kisa, Suleiman, Hoopoe, Bugha, ze lagen er allemaal, alle negen, ontdaan van hun wapenrusting, hun wasbleke gelaat met starre blik omhoog. Van Filaq of de zak met goud was geen spoor te bekennen.

Ze stegen af en de reus liet de bijl van zijn rug glijden. Aan één kant van de weg bevond zich een steile rotswand en aan de andere de lange, flauwe helling naar de pas. De helling was bruin en boomloos en niemand kon zich er verschuilen. Ze wachtten tot de schemering viel, en toen de vleermuizen aan hun rondes begonnen, leidden ze de paarden bijna tot boven aan de helling, waar ze de dieren vastbonden en te voet verder slopen tot ze over de top heen konden kijken. Onder hen, uitwaaierend als een hoorn, strekte zich een vallei met steile wanden uit die met zijn terrasribbels en arcering van wijngaarden doorliep tot aan de zee, ver in de diepte. Ongeveer halverwege liepen talrijke paarden te grazen. Daarachter, rechts van de weg, kon Hanukkah de witte tenten met pieken en groene strepen zien van een compagnie Arsiyahs, een elitekorps van huurlingen, moslims wier voorvaderen twee eeuwen daarvoor

57

uit Perzië waren gekomen en die de koningen van Chazarië al dienden lang voordat hun meesters zich tot het joodse geloof bekeerden. Hanukkah hoorde gelach, de klanken van een luit, en rook geroosterd graan en gebakken uien.

'Zo, onze jongen heeft blijkbaar een leger gevonden,' zei de Afrikaan hoofdschuddend. 'Des te erger voor hem.'

◆

HOOFDSTUK VIJF

Over de naleving van het vierde gebod onder paardendieven

Bij het vallen van de nacht stak er een bries op over het water, uit de landen achter de Chazaarse Zee, achter de uitgestrekte steppen in het noorden, uit rijken van wouden en sneeuw die Amram kende als woonplaats van heksen en sneeuwdjinns en krijgshaftige vrouwen die ten strijde trokken op de rug van beren en reuzenherten. De wind droeg alleen de belofte in zich van ijs, storm en invallend duister; Amram knielde neer op de noordhelling van een vreemde berg, ver van huis, trok zijn wollen mantel dichter om zijn schouders en wist in zijn hart dat hij zijn dagen zou eindigen in een ijzig koninkrijk, te midden van een ijzig volk. Maar alsof de klaaglijke toon van zijn gedachten met deernis werd gehoord, voerde de wind van de kampvuren in de vallei de prikkelende woestijngeur aan van brandende kamelenmest, en de droefgeestige roep van een soldaten-muezzin die zijn moegereden broeders tot een verlate Jumuah maande. Amram besefte verrast dat het vrijdag was. Als boodschapper van die wonderlijk roerende tijding kroop hij terug naar de rotsspleet waar Zelikman en Hanukkah zich schuilhielden, en, voorgegaan door Zelikman, die de geboden in bijna dezelfde mate eerbiedigde als minachtte, bogen de zoon van Cham, de zoon van Sem en de zoon van Jafeth het hoofd ter begroeting van de sabbatbruid voor ze de berg af reden, de winter en de zee tegemoet, om Zelikmans paard terug te stelen.

Het toeval wilde dat Amram, kort nadat hij zijn dorp had verlaten om zijn gestolen dochter te gaan zoeken, emplooi had gevonden als paardendief. Het was een vak dat hij sindsdien met tussenpozen had uitgeoefend, in het bijzonder tijdens zijn tien dienstjaren in de krijgsmacht van Constantinopel, toen hij zich, wegens de nalatigheid en knibbelkunst van de kwartiermeesters van de keizer, en naar oud gebruik van diens aan de grenzen gelegerde soldaten, genoopt had gezien paarden te stelen, en niet alleen die maar ook rundvee, schapen, geiten, gevogelte, graan, kaas, brandstof, pelzen, wol en huiden. Alles, behalve vrouwen: dat was een gebruik dat Amram, zolang hij bevel voerde, zichzelf noch zijn manschappen had toegestaan.

Amram dacht dat Hillel het nu wel gewend moest zijn, gestolen worden, omdat hij Zelikman oorspronkelijk was toebedeeld tijdens een plundering van een khan even buiten Damascus waartoe het vriendenpaar was overgegaan nadat de pachtheer van de khan, zelf heler van gestolen paarden, ze na een van hun voorstellingen had willen bezwendelen.

Na het gebed deden ze hun avondmaal met de staartjes van hun proviand en de laatste zenige hompen geitenvlees, en zong Hanukkah namens hen een dankgebed aan God op een Chazaarse melodie die Amram hees en droevig in de oren klonk. Amram haalde zijn shatranjspel tevoorschijn en veegde

Zelikman en Hanukkah allebei tot twee maal toe van het bord terwijl ze wachtten tot het duister volkomen was. Toen slopen ze terug naar de top van de pas.

Zelikman had Hanukkah ervan willen weerhouden mee te gaan, om zijn verwonding te ontzien, maar daar wilde Hanukkah niets van weten; hij bezwoer hem dat hij zo dankbaar was dat hij hem zo stevig had dichtgenaaid en zo doeltreffend met zalf had behandeld, dat hij bereid was zonodig op zijn buik naar het kamp van de Arsiyahs te kruipen, en zo ze vannacht zouden falen in hun poging de koene Hillel weer in hun bezit te krijgen, dan zou Hanukkah, als Zelikman naar huis terug wilde, hem desnoods op zijn eigen rug dragen, helemaal tot aan het land van de Franken, of van de Saksen, of tot aan de avondsponde van de zon zelf.

'Let op je woorden,' luidde Amrams goede raad. 'Mij heeft hij vijf jaar geleden genezen van een zwaardsnee in mijn nek, en ik heb hem nu nog steeds op mijn rug zitten.'

Ze gingen in het donker op weg naar de paarden. Honderdtien had Amram er geteld, sterke, weldoorvoede, onverstoorbare dieren, die rondliepen in de wei aan de oostkant van de tenten en zich nu als een wemelende plek van dichter duister aftekenden tegen de nacht. Ze droegen beenkluisters, schrokten luid knerpend van de droge dravik en werden bewaakt door twee soldaten te voet in lange, bestofte mantels met een split van voren en op de linkermouw overdadig voorzien van zorgvuldig geborduurde woorden uit de mond van de Profeet. Twee posten bewaakten de zuidelijke toegang tot het kamp en langs de noord- en westzijde liepen wachten, stuk voor stuk lange, stevige figuren met een valkenprofiel, in voortreffelijke uitrusting en in redelijke orde, maar Amram, die hen en hun kameraden in het laatste daglicht had geobserveerd had bij hen iets onverschilligs bemerkt ten aanzien van hun plicht, een zweem van ongenoegen, alsof ze wel iets beters te doen hadden en uit geen enkele hoek onraad of een vijand verwachtten. Er zat hun iets dwars. Hij vroeg zich af of ze misschien leden aan het ongenoegen van de indolentie die het patrouilleren langs een grens met zich meebracht waar te lang vrede had geheerst, immers, de laatste oorlog tussen de Chazaren en de legers van de kalief was al ruim honderd jaar voorbij. Als het mannen met karakter waren verfoeiden ze dit wachtlopen wellicht, wensten ze zich in het heetst van de strijd, met vette krijgsbuit, op de verre Krim, waar volgens Hanukkah de legers van de nieuwe beg druk doende waren de grote steden Feodosia en Doros te heroveren om ze weer onder de heerschappij van het menora-vaandel te brengen.

Het uit de weg ruimen van de al dan niet van ongenoegen vervulde schildwachten was altijd het eenvoudigste deel van een paarden- of veeroof. In vroeger tijden zou Amram de wachtposten aan hun linkerzijde hebben beslopen om hen met een of twee zijwaartse slagen tegen de halsslagader ineen te doen zijgen. Maar als je hun keel niet snel genoeg doorsneed, zo had Zelikman betoogd, lukte het ze vaak nog een kreet te slaken om hun kameraden te waarschuwen, en een enkele keer sloeg je het hoofd finaal van de romp, en indien het dan niet tijdig werd opgevangen voordat het op de grond plofte, kon er een tamboerslag van de schedel te horen zijn die je verried. Het doden van de schildwachten kon ook tot latere vergelding leiden. Amram zag er dan ook wel het nut van in om Zelikman zijn eigen gang te laten gaan.

Ze bewogen zich door het diepe duister traag als blinden

langs de rand van een groeve, en zochten tastend hun weg van rots tot rots, waarbij ze zo goed mogelijk de koers volgden die Amram eerder had uitgestippeld, een ruime boog die twintig roeden oostwaarts ging voordat de weg terugvoerde langs een westwaartse rechte lijn, zodat ze de wacht benaderden van links om een halve tel te winnen op diens – rechtse – slag voor het geval hij zijn zwaard wist te trekken. En terwijl Hanukkah en Amram wachtten, hun rug tegen een beschuttende rots gedrukt, beende Zelikman gebukt op de wachten af, die tien meter uiteen met hun rug naar elkaar toe de verdiensten van berberpaarden bespraken. De maan was aan de hemel verschenen, en in haar zwakke, koele schijnsel zagen Amram en Hanukkah Zelikman verder sluipen. In zijn magere stelten lag niets van de gratie maar alles van de intensiteit van een kat op dodelijke muizenjacht, het geduld, de grimmige vastberadenheid van een roofdier. Hij richtte zich op achter de dichtstbijzijnde wacht, sloeg zijn linkerhand in de leren handschoen om het gezicht van de man en omarmde hem met zijn rechterarm. Een tel later vlijde hij hem neer. De zeldzame keren dat Zelikman tegen Amram over zijn moeder sprak, betrof het vaak een herinnering waarin ze hem aan zijn bed door koorts en nachtmerries heen hielp, of met de zachte Romaanse tongval van haar grootmoeders voor hem zong, en de schim van die onbekende jodin leek altijd in Zelikman te verschijnen als hij een schildwacht of bewaker verdoofde en zoetjes op de grond liet zakken. In zijn tas vol zalf en smeersels bewaarde Zelikman een groot pak, een papyrusblad om een plak samengeperst bilzekruid, alruin en nachtschade gewikkeld, dat, opgelost in een speciaal vitrioolpreparaat, uitgegoten op een verband en voor neus en mond gehouden onmiddellijk een diepe slaap teweegbracht. Hanukkah keek van achter de rots met grote, bewonderende ogen toe hoe Zelikman de tweede wacht onder handen nam en naast de eerste neervlijde.

Toen ze afsneden over het gras en, sneller nu, op Zelikman en de paarden af liepen, kon Amram de soldaten verderop in hun tenten horen snurken. Een laatste krekel kraste droevig op zijn rebab. De sterren cirkelden naar de winter, en het was nu licht genoeg om bij sommige paarden de bles te onderscheiden. Amram rook de stoffige muskusgeur van paardenhuid en het wrange zoet van hun adem. Hij trok de ponjaard uit zijn laars, liep tussen de paardenbenen door en sneed de banden waarmee ze zaten vastgekluisterd stuk voor stuk los. De dieren begonnen elkaar te bevragen met een urgentie die Amram voelde toenemen, en verspreidden in snel tempo geruchten en verwarring. Het zou niet lang duren voor hun opwinding zo luidruchtig was dat het de andere wachten alarmeerde en de snurkende mannen in de dichtstbijzijnde tenten wekte. Amram rekende op die opwinding, vertrouwde erop dat de paarden paniek zouden zaaien, maar die paniek mocht niet in de verkeerde tuin opbloeien. Hij rechtte zich, probeerde Zelikman te vinden in de donkere, gespierde golven van angst en schrik om hem heen en ontwaarde toen het lange, smalende hoofd van Hillel, diens komische blik, precies op het moment dat Zelikman hem vond en met een zwaai op zijn rug sprong.

Amram sprong op het paard dat het dichtstbij stond; de paardenbuik rilde tussen zijn knieën. Even werd hij overmand door de schaduwen en de geur van stof, en zijn paard weigerde te gaan, maar hij sprak het toe met een paar woorden in het Ge'ez, de moedertaal van de mensheid zoals zijn volk zei, waarvan de klank paarden altijd rustig maakte. Hij sprak de paarden om hem heen ook toe en ze volgden zijn rijdier, terwijl Amram zijn knieën tegen hem aan drukte en hem liet weten hoe mooi hij was, hoeveel hij van hem hield; ze gingen steeds sneller en de rest van de kudde volgde. Hij hoorde hen snuiven, hoorde nu ook roepen uit de tenten en een kreet van de wachtpost aan de andere kant van het kamp. De op hol geslagen paarden waaierden uit naar de tenten en de smeulende vuren van de Arsiyahs. Het ogenblik naderde waarop hij zich, volgens zijn eigen beproefde gewoonte en de eisen der omstandigheden, razendsnel van de groep had moeten afsplitsen om zich bergopwaarts weer bij Zelikman te voegen, en de paarden rechtdoor had moeten laten gaan, dwars door het kamp, om daar naar eigen goeddunken korte metten te maken met tenttouwen en soldaten.

En op dat moment leek de melancholie die hij met zich meedroeg hem open te breken: het gezicht van zijn verdwenen dochter versmolt in zijn hart met het gezicht van de jonge prins der Chazaren, die, nu hij door deze soldaten gevangen was genomen, uiteindelijk door hen naar Boeljan de troonrover moest worden gebracht, die nu hun commandant was.

Volgens de wetten van de wereld dienen kinderen verweesd en verbruikt te worden, wist Amram, en bij die handel gold vaderliefde als afval, rijp voor het vuur. Na lange jaren van zalige afwezigheid trof de terugkeer van gevoelens van barmhartigheid jegens iemand die uiteindelijk ook maar een vader- en moederloos kind was Amram als een pijnlijk teken van zijn tanende vermogens om het leven naar behoren te leven. Barmhartigheid was een gebrek, een dwaling, en in het geval van kinderen vreselijke tijdverspilling bovendien.

Amram zette zich schrap, zonder stijgbeugels of leidsels, greep een vuistvol grove manen en boog het hoofd. Prompt zat hij midden tussen de schreeuwende mannen, flitsende lansen, gillende paarden, tenten die instortten of als vleermuizen opfladderden in de lucht. Meteen zag hij de dwaasheid van zijn koersafwijking in. De maan gaf te weinig licht. In dit tumult zou hij de jongen nooit kunnen vinden.

Hij voelde het grote pompende hart – de bonk spier, bot en zweet tussen zijn knieën – wringen en rillen, en er klonk gekraak van een gewricht. Hij vloog naar voren, over het hoofd van het paard heen, liet de stijve manenborstel los, en de omvang van zijn gestalte dreef hem met zoveel kracht voorwaarts dat hij het paard met zich meesleurde in zijn val, boven op hem. Ze tolden om, en alsof bliksem en donder van rol werden omgewisseld proefde hij bloed in zijn keel en trof de hamerslag van een hoef hem vol in de borst. Hij kreeg een vage indruk van mannenhanden die hem vastgrepen aan zijn armen, overeind trokken, en daarna voelde en hoorde hij niets meer, eindeloos lang, zo leek het hem.

Toen hij zijn ogen opsloeg waren zijn armen en benen gebonden; hij hoorde schichtige paarden en de fluitende zweepslag van een zwaard dat hij meteen als dat van Zelikman herkende. Hij lag op de grond in een muffe tent; op het doek flakkerde licht van een vuur en zwollen en krompen langgerekte schaduwen als bij een schimmenspel. Naast hem lag Filaq, op zijn zij, armen vastgebonden en een prop in de mond. Amrams eigen mond was vrij gebleven.

'Konden zij je ook niet meer aanhoren?' vroeg hij.

Filaq knikte.

'Hebben ze je te grazen genomen?'

'Hoor je dat geluid, jongen?' vroeg Amram. 'Dat is Zelikman.'

Hij schudde van nee.

'Weten ze wie je bent?'

Filaq dacht na, begon aan een 'nee', maar ging op een lam schouderophalen over.

'Hoor je dat geluid, jongen?' vroeg Amram. 'Dat is Zelikman. Die denkt dat hij me kan redden. Eén mager joodje met een priem. Wat denk je, kan hij dat aan?'

Filaq schudde van nee.

'Daar heb je dan gelijk in. Het was even stom van hem om mij achterna te komen als van mij om jou achterna te komen. Ik had je aan je eigen verdiende lot moeten overlaten.'

Het gefluit en gekletter van Zelikmans zwaard verstomde en een kapitein schreeuwde een bevel. Daarna bleef het stil. Even later werd de flap van de tent opengeworpen. Hanukkah kwam binnengestruikeld, duikelde voorover alsof hij een duw kreeg en viel languit op de grond. Daar bleef hij liggen schokken en snikken terwijl Amram luisterde of hij iets op kon maken uit het schimmenspel op de achterkant van het tentdoek, om de Chazaar niet te hoeven vragen of zijn hartsvriend dood was.

◆

HOOFDSTUK ZES

Over enige merkwaardigheden van de handelspraktijken der Noormannen

Een van de voortreffelijke geneesheer-rabbijnen uit de stad Regensburg heeft in zijn commentaar op het boek Samuel, een werk dat verloren is gegaan maar geciteerd wordt in de responsa van rabbijn Judah de Vrome, geopperd dat naast de Thora het redden van mensenlevens het enige onderwerp is dat werkelijke studie verdient. Naar deze maatstaf gemeten – het was zijn grootvader die dit had geopperd – telde Zelikman in zijn huidige kennissenkring twee grote geleerden, en een daarvan was een paard.

Terwijl hij met Lancet terugweek, pareerde, schijnbewegingen maakte en aanviel op de Arsiyahs die hem omringden, en die nu allemaal klaarwakker waren maar niet geheel vrij van slaapdronken verbijstering bij de aanblik van een broodmager, maanbeschenen spook dat hen bedreigde met een bovenmaats laatmes, en met de laarshak van zijn achterste voet tastend de weg zocht door de chaos van losgeraakte tenten en bokkende paarden die achter hem opdoemden, voelde Zelikman een felle steek in zijn schouder. Hij draaide zich bliksemsnel om en zag dat hij was gebeten, met impliciet verwijt omdat hij in zijn dwaasheid Amram in zijn eentje had willen redden van een hele compagnie zwaarbewapende cavaleristen, door het bastaardproduct van een bergtarpan en een Arabische merrie wier bloedlijn helemaal terugging tot een van de Al Chamsa's, de vijf moederpaarden uit de stal van de Profeet zelf.

Zelikman sloeg zijn arm om Hillels nek, knikte de soldaten toe, en met geprevelde woorden in de paardenbezwerende moedertaal van zijn Abessijnse vriend spoorde hij het dier aan om de nauwe doorgang te verbreden tussen de twee giganten die met hun lansen op hem af kwamen. Vervolgens voerde hij, zonder enige gratie en ten koste van een pijnlijk treffen tussen tanden en tong, het huzarenstukje uit van het bestijgen van een paard in volle galop. De toeschouwers, waarvan er gelukkig in dit duister, op deze verlaten helling, maar zeer weinigen konden zijn, moeten de indruk hebben gekregen dat hij niet zozeer in Hillels zadel wilde springen maar zich wilde vergrijpen aan diens nek.

De paardenknechten hadden zich beijverd om de paarden weer bijeen te drijven, die algauw bestegen werden om de achtervolging in te zetten van Hillel, die Zelikman terugvoerde de helling op, naar het zuiden. Maar terwijl de paarden van de Chazaren net als Hillel stevig en vast ter been waren, geknipt voor de steile rotspaden, een en al hart en long en rug, en met hoeven zo hard dat ze zonder beslag konden, ontbrak het hun aan snelheid en Hillels ondefinieerbare Arabische humor: een demonische intelligentie die het midden hield tussen perversie en vuur. Toen hij de pas bereikte lagen zijn achtervolgers ver achter. Hillel zocht zijn weg omlaag naar de spleet in de rots waar Porphyrogene en het sleperspaard van Hanukkah wachtten. Zelikman haalde langzaam adem, een ademtocht die voelde alsof hij de eerste was sinds hij Amram op een ongezadeld paard het hart van het kamp had zien binnenstormen. Bij de uitademing kwamen de tranen. Hij huilde geluidloos, zoals gebruikelijk bij mannen vol schaamte en woede, en toen de groep achtervolgers schuivend en hoefschrapend het pad af kwam denderen, langs de spleet waarin hij zich met Hillel schuilhield, kon hij dan ook het gekraak en gekletter horen van hun leren schobbejakken met de schubben van hoorn; en toen de Arsiyahs terugkeerden, vlak voor de dageraad, precies het tijdstip waarop heel de schepping lijkt stil te vallen, als vechtend tegen tranen, hoorde Zelikman het gerammel van hun maag, het gruis in hun ogen en de holle klank van het falen die galmde in hun borst.

Hij wachtte tot hij uit een spleetje in de rots een kleine hagedis tevoorschijn zag komen die naar een medaillon van zonlicht op het graniet kroop. Toen leidde hij Hillel weer de kam over, terug de vallei in, waar het tentenkamp was opgebroken, de paarden bijeengedreven en gezadeld, en de soldaten over de weg naar het noorden waren weggetrokken. Zelikman volgde minstens honderdvijftig stadiën lang hun spoor, en kwam toen op een kale plek waar een andere weg zich aftakte naar het noordoosten, naar de kust van de Kaspische Zee. Een hoopje stenen markeerde de aanwezigheid – zo niet nu, dan toch ooit – op deze plek van een of andere oergod van het kruispunt. Als je noordwaarts bleef gaan, zo had Hanukkah hun verteld, kwam je bij Atil, de Chazaarse hoofdstad die aan de monding lag van een rivier die ook Atil heette, al noemden anderen hem Wolga. Een vers spoor van paardenmest en hoefafdrukken markeerde de weg naar het noordoosten: de Arsiyahs reden naar de Kaspische kust.

Hij volgde ze twee dagen lang naar het oosten, grotendeels door de stromende regen, door volgelopen ravijnen en opspattende modder. De Arsiyahs zetten er vaart achter, gunden zich nauwelijks rust, ontstaken geen vuren, en na een dag van martelende achtervolging begreep Zelikman de oorzaak van hun vertwijfeling: ze haastten zich om een stad of legereenheid te ontzetten waarvan ze vreesden dat die al was verloren. Tegen zonsopgang van de derde dag snoof hij de eerste zeelucht op en liep hij zo op de mohammedaanse soldaten in dat hij de linten van goudlaken aan hun lanshouders en de moddervlekken op hun beenkappen kon zien. Boven op een heuvel kon hij rook ruiken, en een halve ademtocht later zag hij hem: kolkend zwart. Een dikke, vette walm, zoals die boven het fort in Azerbeidzjan had gehangen. Het was de lucht van brandende dieren.

Hillel hinnikte en stapte opzij, en Zelikman bespotte hem liefdevol om dat vertoon van lafheid. Hij sprong uit het zadel, liep naar de top van de heuvel en richtte de Perzische kijker op de verwoesting die zich daar voltrok van de ommuurde stad die naast de wijde riviermond was gebouwd, van de platte daken en minaretten en een grote witte moskee die hun vorm en substantie prijsgaven aan de hemel in zwarte gaswolken en dikke vlokken as. Uit de houten poorten stroomden en slingerden, in lange slierten van mannen, vrouwen en dieren, de stadsbewoners die hun leven achter zich lieten.

Langs de kaden vielen verbrande schepen langzaam in zwarte brokstukken uiteen en vatten de schuine zeilen van de dhows vlam. Op een afstand, in het diepere water, hielden drakenschepen de plundering van de vestingstad in het oog. Blonde Noormannen in wambuizen van barbaars rood boomden terug

Uit de houten poorten stroomden en slingerden in lange slierten van mannen,
vrouwen en dieren, de stadsbewoners die hun leven achter zich lieten.

naar hun schepen op brede schuiten, afgeladen met balen, vaten, tonnen, zakken en ineengedoken vrouwen, gaven die door aan hun maats op de dekken en boomden terug naar de kaden om meer. De mannen in het rood zwermden door de straten, en een stuk of tien van hen waren aan het werk met ijzers waarmee ze de gouden bekleding van de koepels en minaretten van de grote moskee loswrikten. Ze werkten snel, zonder zoals gebruikelijk hun buit op te stapelen op de wal voor de uitgebreide riten van hun diefachtige geloof, waarschijnlijk omdat een uitkijkpost die zich niet door plundering of verkrachting had laten afleiden op de verwoeste muren de troep ruiters op de stadspoorten had zien afstormen.

Rond die poorten ontstond nu heftige beroering, van de mannen in het rood die de overlevenden de stad uitdreven en hun schouders schoor zetten tegen de eiken balken om de levenden af te scheiden van de doden, de buit van de beroofden, om daarmee – zo hoopten ze – de tijd te winnen die ze nodig hadden om weg te komen. Zelikman had zelf van nabij de rooftochten van de Noormannen meegemaakt, door de mensen uit deze streek *de Rus* genoemd, en wat hij niet zelf gezien had, had hij gehoord van Amram, die in de legers van de keizer naast blonde reuzen had gediend. Hun moed grensde aan waanzin en vechten was hun leven, maar zoals mannen overal ter wereld waren ze de slaaf van hun lusten en van hun dorst naar bezit, en met hun dekken hoog opgetast met goud, vers vlees en vaten Georgische wijn, zagen de Noormannen zich genoopt een profijtelijke terugtocht te verkiezen boven de onzekere roem van de strijd.

Toen de voorste ruiters van de Arsiyahs de stad naderden om die te ontzetten, raakten ze, zoals ongetwijfeld door de Rus beoogd, verstrikt in de vluchtelingenstroom met hun bundels en dieren. In de tijd die het de voorhoede kostte om zich een weg te banen, steigerend en schoppend en woest om zich heen slaand met de botte kant van hun lans, had de rest van de compagnie hen al ingehaald. Door de Perzische kijker kon Zelikman tussen de golven ruiters duidelijk Amram en de jongen ontwaren, samen op één paard, en iets stijfs in Amrams houding verried Zelikman dat zijn handen waarschijnlijk waren vastgebonden; naast hem zat Hanukkah ineengedoken op de rug van een woestijnezel. Er volgde een oponthoud waarin bevelen, gebeden en weeklachten weerklonken, waarna de halve compagnie in tweeën werd verdeeld en eropuit gestuurd om aan weerskanten van de stadsmuren naar de riviermonding te trekken, waar op dat moment, met strakke energie voortgeboomd door een tiental roodhemden, één enkele schuit met de laatste grote partij buit koers zette naar de Vikingschepen. De achterblijvende helft van de zwartgeharnaste Arsiyahs sprong van hun paard om de gebarricadeerde poort het hoofd te bieden. Zij konden niet weten, wat Zelikman vanaf zijn heuvelhelling wel duidelijk zag, dat de Rus hun verovering van de stad hadden opgegeven, of, misschien preciezer gezegd, hadden vervolmaakt.

De cavaleristen probeerden de torens aan weerszijden van de poort te beklimmen maar vonden in het metselwerk geen steunpunt voor hun voeten; daarom flansten ze van touw een paardentuig in elkaar, spanden daarmee een stuk of zes paarden samen en zette die ploeg aan het werk om aan de klink in de linkerdeur te trekken. Ook dat bleek vruchteloos, waarop een aantal mannen opdracht kreeg brandhout tegen de deur te stapelen. Daarop sprong Amram van zijn paard, stak zijn armen uit en werd van zijn kluisters bevrijd. Hij greep het touw waarmee de paarden nog aan de poort vastzaten, en voegde, met een pets tegen het achterwerk van het grootste dier, zijn eigen trekkracht bij de hunne. Zelikman kon het touw horen gonzen, hoorde de lage eiken kreun van de poort, een tel later gevolgd door een schallende knal, als van een reuzenzweep. De deuren vielen open, en juichend en ululerend stroomden de ruiters de stad binnen die ze door hun te late komst niet hadden kunnen redden. De laatste Noormannen hesen zich met hun buit aan boord van het enige nog niet weggevaren schip, precies op het moment dat de eerste Arsiyahs de brandende steigers op reden. Onder het gewicht van de paarden en wapenrusting stortten de steigers in en wierpen daarbij een spectaculaire wolk van vonken en nevel op.

Zelikman liet de kijker zakken, stopte hem in zijn hertenleren etui, riep Hillel en galoppeerde met hem omlaag naar de stad. De Arsiyahs hadden hem alleen in het maanlicht gezien, hoed diep over zijn gezicht en met wapperende mantel. En al mochten ze door de eerdere omstandigheden geneigd zijn hem als vijand te beschouwen – uit soldatengewoonte, en door zijn onmiskenbare diefstal van het paard dat zij hadden gestolen van degenen die het van Zelikman hadden gestolen die het weer had gestolen van een dief – de Arsiyahs hadden hem nu hoe dan ook nodig, met zijn zalf en zijn smeersels en bereidheid zich te verlagen tot het nederige handwerk van de chirurgijn.

Bij de eerste groep vluchtelingen stuitte hij op een tiental verbrande, doorstoken, geslagen en verminkte slachtoffers in een hels spektakel van bloederige wonden. Het gerucht van de wonderbaarlijke verschijning van een withuidige barbier verspreidde zich algauw tot de monding van de rivier en weer terug, zodat de afstand van zeven roeden die hem nog van de stadspoorten scheidde hem al het resterende daglicht, het grootste deel van zijn pharmakon en zijn hele voorraad fijne zijden draad kostte.

Hij reed de stad binnen onder het bloed, hongerig, uitgehold – twee keer had hij die dag gebraakt in reactie op de lucht van wel heel gemene wonden; zijn ogen prikten van de rook en in zijn oren weerklonk nog steeds kindergeschrei. Hij zat op zijn paard, zich nauwelijks bewust van de knetterende vuren, de verlaten stoepen en de gapend lege gaten van de huizen, de aasgieren, de soldaten die hem nastaarden als hij voorbijreed, en verliet zich geheel op Hillel in het vertrouwen dat die de straat of steeg zou vinden die hen naar Amram bracht. Ze kwamen bij een nauwe doorgang, met aan weerskanten hoge huizen die steeds verder naar elkaar toe neigden terwijl ze boven hen uittorenden, tot ze nog slechts door een koele donkere strook van schemerduister van elkaar waren gescheiden. De onbeslagen hoeven van het paard ketsten op het plaveisel als ijzer op bot, en toen kwamen ze uit op een breed plein, bijna zo weids als het piazza in Ravenna, en daar, op de brede trap van de leeggeroofde moskee, waarvan een van de minaretten zwartgeblakerd en broos als een uitgebrande fakkel omhoog priemde, met zijn arm om de tengere schouders van Filaq en een snurkende Hanukkah aan zijn voeten, op zijn gezicht de lach van een dobbelaar die zich nooit laat verrassen, zat Amram.

Hij kwam onvast overeind. Zijn gezicht was besmeurd met as, er zat as op zijn haar en zijn schedel en zijn ogen waren rooddooraderd. Hij kwam met vertrokken gezicht de trap van de moskee af alsof zijn rug of heupen hem pijn deden, en Zelikman en hij vielen elkaar in de armen. Vanuit de moskee kwamen de gebarsten stemmen van biddende mannen. Amram stonk naar verbrande talk, rook en een zware werkdag, maar daar doorheen kwam die vertrouwde geur van hem: zon op zandsteen. Het geluid van het bidden vond een dankbare weerklank in Zelikmans hart.

'Weer eens te laat,' zei Amram.

◆

HOOFDSTUK ZEVEN

Over het benutten van een
ogenblik van zwakte

Hanukkah was weleens wakker geschopt door slechtere mannen, ook door zijn eigen vader, en de verwensingen die hij mompelde, met zijn ogen dicht en de honingzoete hand van een droom nog streelzacht over zijn dij, gingen dan ook niet verder terug in de geschiedenis dan de overgrootmoeder van de Afrikaan, en beperkten zich tot het beeld van haar bestijging door schurftige Scythische hengsten, met slechts een terloopse verwijzing naar de attenties van kamelen. Het werkelijke object van Hanukkahs wrevel was de wakende staat zelf en de wereld die in deze staat de inzet van al zijn zinnen vergde. Hanukkah had als soldaat gediend in het leger van een rijk dat niet in oorlog was, had daarom de dood nog maar zelden onder ogen gezien, en was ontzet door de omvang van het bloedbad dat hij die dag had meegemaakt, aangericht door vreemde indringers onder Chazaarse mannen en vrouwen, mensen als hijzelf – kinderen van Kozar de zoon van Togarma de zoon van Gomer de zoon van Jafeth de zoon van Noach – 'het volk van de muren van vilt', branders van mestvuren, trouw aan de ene god van de helderblauwe lucht, of die nu Tengri, Jehova of Allah heette. Het meest van al was hij nog geschokt door het zinloze afslachten van een achtergebleven Noorman, die, sprakeloos, versuft en trillend door een of andere koortsaanval, wit als de buik van een vis, door de Arsiyahs uit zijn schuilplaats was gesleept en in één haal als een gutsende zak wijn was opengeritst. Toen had Hanukkah zich opgerold op de trap van de moskee en zich teruggetrokken in de slaap en zijn droom van Sarah, van de lichte geur van brandend sandelhout als ze zijn hoofd in haar schoot vlijde, een droom waaruit Amrams voet hem nu wekte met de tederheid van een bootshaak.

Hanukkah kwam overeind, deed zijn ogen open en zag, te midden van de rook, de zandhozen en gestage sneeuwbuien van as, een uitgemergelde, bebloede gestalte, wankelend, haast staande slapend, zijn bekorste zwarte mantel als een sleep achter zich aan en de lucht om hem heen één tollende zindering van vliegen.

Bij de aanblik van de Frank die zijn leven had gered voelde Hanukkah iets in zich zwellen, als de zwemblaas die de steur zwevende en in de juiste positie hield in het donker van de Chazaarse Zee. De mens kon gruwelijker worden gebroken dan hij zich ooit had voorgesteld, maar hij kon ook weer worden gemaakt. Hoop was een krachtige hartversterking, en even kon Hanukkah alleen maar geluiden uitstoten als een gans terwijl hij het achter in zijn keel voelde branden. Daarna veegde hij zijn gezicht af aan zijn vieze mouw en haastte zich naar Zelikman toe.

'Ga zitten,' zei hij, 'toe.'

Hij zorgde dat de Frank op de trap kwam zitten, trok zijn laarzen uit en haalde water uit een bak. Een deel van het water vermengde hij met wijn en gaf dat Zelikman te drinken in een omgekeerde stalen helm. De rest gebruikte hij om het bloed van Zelikmans handen en gezicht te wassen en zijn voeten te baden. Uit die kleine, vrijwillige daad van zelfvernedering, die routinehandelingen van waterbak en scheplepel en het uitwringen van een doek, de bleke voeten van de Frank met de verrassend zachte enkels, putte Hanukkah troost en hij vatte weer moed. Hij vond een vergeten steegje achter de moskee dat aan de plunderende Noormannen was ontsnapt, en trof daar in een kelder een stel tandeloze oude zusters die hem tegen woekerprijzen voorzagen van koude pap, linzen en munt, een zak appels en een eindje lamsworst. Hij gaf het eten aan Zelikman, die at, en dronk, en uitrustte en in het Grieks of het Latijn met de Afrikaan praatte.

Hun gesprek leek over Filaq te gaan, die ineengedoken op de trap van de moskee zat met zijn kin in zijn handen; hij droeg een masker van tranensporen en as. De knaap had zich nauwelijks verroerd in de uren nadat de Arsiyaanse huurlingen hun gevangenen het consigne hadden gegeven zichzelf te redden, en had gedurende een periode die Hanukkah abnormaal lang leek geen woord gezegd. Met zijn besmeurde wangen en starende ogen leek hij jonger dan ooit, een kind met een lege maag dat te moe is om te slapen. Hij leek niets te merken toen de Arsiyahs ten slotte langs hem heen de trap af uit de moskee gesjokt kwamen, hun gang onzeker en gebogen alsof de tijd of een zware last hen terneer drukte; het avondlijke verheffen van hun stem naar het verre Mekka had weinig verzachting geboden voor het pijnlijke besef dat ze deze mohammedaanse stad niet voor verwoesting door de Noormannen hadden kunnen behoeden. Ze bleven somber en doelloos talmen op het plein.

Hun commandant was dood, verdronken toen de steigers het begaven. De overlevende kapiteins konden het niet eens worden of ze de Noormannen moesten achtervolgen en afstraffen, of moesten terugkeren naar Atil, waar hun veroordeling, en wellicht executie, wachtte door de beg wegens hun veronachtzaming van zijn uitdrukkelijke bevel dat niemand de Noormannen mocht hinderen bij hun 'handelsmissie' onder de bevolking van de kuststreek. Het bevel was gepaard gegaan met geruchten dat diezelfde eerzuchtige Noormannen de nieuwe beg bij zijn coup hadden gesteund – maar dat had aan de aard ervan niets afgedaan. Bij de Arsiyahs, wier grootste waarde, zoals bij alle ingehuurde keurtroepen, niet school in krijgsmans- of ruiterkunst of angstaanjagende reputatie, maar in het vlekkeloze blazoen van hun trouw, groeide nu het besef dat er maar één ding nog onvergeeflijker was dan een muiterij, en wel een muiterij die mislukt was.

'Ze gaan vast en zeker naar het zuiden, naar Derbent,' zei de eerste kapitein, een zwierige, magere man die bloedde uit een tiental wonden. Derbent was de volgende grote moslimstad aan de kust. 'Daar moeten we ze opwachten.'

Zijn medekapitein, zwaargebouwd en flegmatiek, wees erop dat de kans klein was dat ze op tijd en met genoeg overmacht in Derbent zouden aankomen om de Noormannen tegen te houden, die immers het voordeel hadden van een noordenwind, waarna hij bij wijze van epiloog ter plekke een ongunstig oordeel formuleerde over de intelligentie van de magere kapitein die hem zo'n onzinnig plan had ingeblazen. De twee officieren werden niet lang genoeg door hun mannen gescheiden om te voorkomen dat de algemene beledigingen die ze uitwisselden ontaardden in een handgemeen. In de loop daarvan liep de magere kapitein in de zwaardpunt van de dikke en voegde daarmee zijn eigen leven toe aan het zwarte saldo van die dag, en aan het glibberige stinkende laagje aarde en bloed dat het plein overdekte.

Een schril ruiterfluitje sneed door de lucht en de soldaten staakten hun heftige geweeklaag om te luisteren naar de woorden van een cavalerist die zich niet in de twist had gemengd, een pezige veteraan met o-benen, bijna even witharig als Amram, een van de mannen die, zonder hoge rang of grote moed, door harteloosheid, opportunisme en aanhoudend stom geluk, al hun maten hadden overleefd en het daarmee tot ongekroonde leiders van hun manschappen hadden geschopt. Toen deze oude veteraan ieders aandacht had, legde hij geduldig en spijtig uit, terwijl Hanukkah Amram en Zelikman een Arabische vertaling toefluisterde, dat ze hun compagnie nu als ontbonden moesten beschouwen, dat elkeen een deel van het water en het eten en een paard moest nemen, en dat ze zich over de vier windstreken en de bergen moesten verspreiden als druppels kwik op een hobbelig tapijt. Hanukkah zag het verstandige van die raad wel in, maar de schande en de smaad wogen zoveel zwaarder dat een aantal Arsiyahs, niet in staat de wijsheid van de oude veteraan te weerleggen, in de schaduw van de moskee ging zitten om daar in tranen uit te barsten.

Het schouwspel van een huilende cavalerie leek Filaq te prikkelen. Hij ging staan, zijn neus als in afkeer opgetrokken, zijn vuisten gebald naast zich, en riep om aandacht. Met zijn hoge piepstem trakteerde hij ze op een tirade die zelfs de gehardsten onder hen het schaamrood op de kaken bracht, terwijl de weeklagers stilvielen. Een paar mannen grinnikten om een wel bijzonder smerig Bulgaars scheldwoord en lachten elkaar besmuikt toe.

'Wat zegt hij?' vroeg Zelikman aan Hanukkah.

Hanukkah fluisterde: 'Dat hij een plan wil voorstellen, maar dat het alleen bestemd is voor de oren van mannen die volledig over hun mannelijkheid beschikken, niet voor een zootje grienende omaatjes die de Noormannen de moeite zouden besparen ze te ontmannen omdat ze zelf de vijand die dienst al hebben bewezen.'

'Welk plan?'

'Daar kan ik me wel een voorstelling van maken,' zei Hanukkah, 'nadat ik daar een week geleden een proeve van heb gehad toen ik met mijn mede-struikridders om het vuur zat.'

Maar nu Filaq eenmaal de aandacht van de soldaten had, leek hij de moed of zijn scheldlust te verliezen, en hij haperde, slikkend en met zijn ogen knipperend, alsof hij de draad van zijn eigen betoog kwijt was. Amram keek even naar Hanukkah, bezag toen peinzend over zijn kin wrijvend het krijgsvolk dat op het plein met gebogen hoofd naar hun bebloede veterlaarzen keek als boerenknechten die de zweep verwachtten. Op ernstige toon stelde Amram Zelikman in een van hun westerse talen een vraag. De strekking leek te draaien om een taxatie van zijn vriends bereidheid tot een hachelijke onderneming waarvan de complicaties niet tegen het profijt opwogen. Op Zelikmans gezicht viel eerst ernstige twijfel en daarna volkomen onverschilligheid te lezen. Amram liep naar Filaq en posteerde zich vlak achter hem, aan zijn rechterhand.

'Toe dan,' spoorde Amram hem in redelijk Chazaars en met een duwtje in de rug aan. 'Ga door.'

Filaq duwde terug, de uitdrukking op zijn gezicht vragend

en twijfelend, gretig en onwillig tegelijk – een korte terugval in kinderlijkheid.

'Het lukt nooit,' zei hij.

'Waarschijnlijk niet, nee,' beaamde Amram. 'Het is een vreselijk slecht idee. Maar ik geloof niet dat iemand hier iets beters weet.'

Filaq knikte en klom naar de bovenste traptree van de moskee. Hij wiste zich met de rug van zijn hand het voorhoofd af en stond op de vermoeide soldaten neer te kijken, zoekend naar de woorden die hen wakker moesten schudden.

'Weten ze wie hij is?' vroeg Zelikman. 'Wie zijn vader was?'

'Straks in ieder geval wel,' zei Hanukkah.

En zo deed Filaq zijn verhaal, met mooie uitdrukkingen in het dialect van de tuinen en paleizen. Eerst vroeg hij hen terug te denken aan het rechtvaardige en milde bewind van zijn vader, de overleden beg, wiens jongste zoon hij was, zo onthulde hij nu. Daarop klonk er geroezemoes onder de soldaten, en een ervan zei dat Filaq inderdaad een sterke gelijkenis vertoonde met wijlen de begum, die de soldaat ooit op het Feest van de Tabernakels in Atil had gezien.

Vervolgens herinnerde Filaq hen aan de vriendelijke, respectvolle wijze waarop zijn vader zijn moslimonderdanen altijd had bejegend, met name zijn trouwe Arsiyaanse huurlingen, waarvan hij, Filaq, had horen zeggen dat ze pas als allerlaatsten in het leger van Chazarië trouw hadden gezworen aan Boeljan de troonrover, iets wat hij meteen had geloofd. De Arsiyahs bevestigden dit, en allengs begon, als een bries door het dorre riet, onder de verzwakte en terneergeslagen soldaten begrip te dagen voor het plan van de knaap.

'We kunnen binnen twee weken aan de poorten van Atil

Daarop klonk er geroezemoes onder de soldaten...

staan,' zei Filaq. 'Onderweg passeren we ongetwijfeld andere plaatsen, steden van de Profeet, die door de Noormannen zijn ontheiligd. Als ze jullie voorbeeld zien, jullie trouw aan het huis van mijn vader, met zijn grote respect voor het eigendom en het geloof van al zijn volkeren, zullen ze zich onder ons vaandel scharen. Tegen de tijd dat we de hoofdstad bereiken zijn we met duizenden, stuk voor stuk bereid om pal te staan voor de ware troonopvolger: Alp, mijn deugdzame, wijze en vrome broer, die machtige vechter, die wolf onzer voorvaderen, die hoeder der wet van zowel joden als moslims, en die door Boeljan aan de Noormannen is verkocht. Duizenden! Tienduizenden!'

'Honderden, minstens,' zei de oude veteraan. 'Misschien wel tientallen.'

De wind van het gerechtvaardigde avontuur die was opgestoken over het plein ging weer liggen toen deze ongekroonde kapitein, deze meester in de aloude soldatenscepsis begon uit te leggen dat iedere koning die zowel de schatkist als het leger in handen had in de ogen van de wereld legitiem was, en dat weliswaar niemand in het hoofd van God kon kruipen, maar dat de Almachtige er in het verleden naar zijn mening toch duidelijk blijk van had gegeven die publieke opinie te onderschrijven. Indien de Noormannen in de steden langs de kust van hier tot Atil even wreed hadden huisgehouden als in deze jammerlijke puinhoop, konden de opstandelingen op weinig proviand rekenen voor onderweg, laat staan op verse rekruten. Hij was nog maar net aan een beschrijving begonnen van de martelingen die veroordeelden van muiterij volgens hem te beurt zouden vallen toen, blijkbaar door te weinig eten en drinken en de vermoeienissen van de afgelopen week, zijn ogen wegdraaiden in hun kassen, zijn hoofd achterover knakte en hij slap ter aarde gleed, waar, gelukkig voor hem, zijn schedel aan splijting ontsnapte door het tijdig ingrijpen van Zelikman, die hem opving en neervlijde, waarbij hij de prop zeemleer in zijn hand zo handig verborgen hield dat Hanukkah zeker wist dat hij de enige was die het zag.

'God heeft deze man en zijn laffe raad het zwijgen opgelegd,' zei Amram in het Arabisch, de moedertaal van de Arsiyahs. 'Het is wellicht verstandig acht te slaan op dit teken van Zijn wil.'

Die wenk vond algemene bijval in de vorm van schreeuwen, juichen en het wilde ululeren van de steppen, maar dat hield abrupt op toen Filaq strijdlustig een paar keer zijn vuist opstak met de kreet: 'Alp! Alp!'

Er volgde een stilte die slechts werd doorbroken door het suizen van de wind door de verbrande dakspanten, de spotlach van een kraai, en ergens de klap van zee op steen. Daarop klonk er tot Hanukkahs verrassing een stem die met bondige precisie die fabelachtige broer Alp met het excrement op de onderste delen van een berggeit vergeleek.

'Jouw Alp is voor ons toch niet meer dan een galeislaaf?' zei hij.

'Als hij ook maar half zoveel mans was als jij, jongen, dan had hij die Noormannen al weken geleden doodgepreekt met zijn tirades,' zei iemand anders.

Dat oogstte gelach; de soldaten voelden zich wat opgemonterd, en geleidelijk aan begon het plein van de verbrande stad, met zijn dakloze moskee, zijn wolken vliegen en geur van dood, te weerklinken van kreten van 'Filaq! Filaq!' die pas wegstierven toen de persoon in kwestie, roder aangelopen dan het dieprood van de zonsondergang boven de westpoort van de stad, de trap van de moskee af rende en wegvluchtte, een zij-straat in.

◆

HOOFDSTUK ACHT

Over een voor struikridders ongebruikelijk fijnzinnig geval van moreel onderscheid

Ze reden noordwaarts door steden van weduwen en aas, steden in zak en as waar de branden van de Noormannen nog smeulden. Overal waar ze voor het eerst kwamen, voegden mannelijke overlevenden van de rooftochten zich bij de Broederschap van de Olifant, zoals Filaq hen genoemd had – naar zijn eigen bijnaam, als wrang eerbetoon aan het gevallen vaandel van zijn dode vader en aan de dieren die met hun dood die val hadden ingeluid. Sommigen kwamen te paard, met echte wapenen, maar de meesten kwamen lopend, hongerig en barrevoets, bewapend met een sikkel of harpoen of het zwaard van een betovergrootvader, bot van ouderdom. Binnen een week na hun vertrek naar Atil waren hun gelederen aangezwollen – als een been met wondrot, zoals Zelikman opmerkte – met twee tot drieduizend onervaren knapen, gammele oudjes en door woede verteerde mannen, zinloos zinnend op wraak. Krakend leer, gesnuif van muilezels, valse flarden van balladen, klepperende hoeven, kletsende blote voeten, gekletter van hooivorken en lansen. In de overvolle kampementen trilden de klink-

nagels van de nacht zelf, zo leek het Amram, los door het ge-
snurk. Ze aten wat ze vonden, halfverkoolde tarwe in de as van
graanschuren, resten en plantenwortels en vogeltjes. Vijf keer
per dag blies er een vreeswekkende wind door hun gelederen
die hen als grashalmen naar de grond boog.

Naar het noorden toe maakten de moskeeën allengs plaats
voor synagogen en vertoonden de steden geen sporen meer van
verwoesting door de Noormannen, die er slechts lang genoeg
hadden vertoefd om er vreedzaam handel te drijven met het
bont, hout, de barnsteen en de honing die ze uit het noorden
hadden meegebracht. Die flagrante discriminatie van de moslims aan de zuidkust maakte de Broederschap woedend, want
het werd als bewijs gezien van het duivelse pact dat de troonrover Boeljan met de Noormannen had gesloten. En ook al was
Filaq jood, naarmate ze de hoofdstad in het hart van het joodse Chazarië naderden vond hij steeds minder steun voor zijn
zaak, omdat men daar de handelswaar en handelwijze – zij het
niet de lompe manieren – van de Noormannen hoog op prijs
stelde. Ze betuigden wel hun spijt bij de verhalen van verwoestingen door de Noormannen in het zuiden, maar doordat de
plundering niet aan den lijve werd ondervonden woog dat niet
op tegen de tastbare aanwezigheid van het rijke bont, de zoete
honing en de kostbare Baltische barnsteen; bovendien, zo werd
gezegd, wist iedereen dat die Chazaren uit het zuiden onverbe-
terlijke zwartkijkers waren, eeuwig ten prooi aan overdrijving.

'In Bagdad hebben de mohammedanen tijdens de dagen
van bekering dit jaar joodse gebedshuizen in brand gestoken
en iedereen die zich niet tot de islam wilde bekeren afgeslacht,'
kregen ze te horen van de babakuk of burgemeester van Samboenin, een joods-Chazaarse stad die maar vier dagen rijden

van Atil verwijderd was. De babakuk was, vergezeld van nota-belen met fraaie snorren, te paard uit de stad komen aanrijden, in de rug gedekt door een kleine maar zwaarbewapende groep soldaten, om de onmiddellijke overgave van de muiters te eisen en ze, voor het geval ze daar niet aan wilden voldoen, vijf karrenvrachten goud aan te bieden in de hoop dat het gerinkel van dirhams de Broederschap van de Olifant zou vermurwen om Samboenin ongemoeid te laten. De babakuk besloot zijn relaas met een opmerking die men in het noorden algemeen aan Boeljan toeschreef, die op zijn beurt beweerde daarmee slechts de wijsheid door te geven van de kagan, Zachariah, afgezonderd in zijn verboden paleis op zijn heilige eiland: 'Als de grote kalief van Bagdad het wenselijk acht dat zijn joden verbrand worden, zou het voor de kagan van de Chazaren on-gepast zijn om zijn moslims niet diezelfde behandeling te geven.'

Die avond, in hun kamp op een landtong ten noorden van de afgekochte stad, reeg de Broederschap van de Olifant vijf-honderd schapen aan het spit en deed zich tegoed aan verse appels met honing en pistachenoten, een afscheidscadeau van de stadsoudsten. Zelikman had weinig gegeten en langdurig gerookt, en nu staarde hij in het kampvuur en wierp veelvul-dig blikken op Filaq. De ongeschoren wangen van de Frank vertoonden nieuwe plukjes en zijn goudblonde haar hing in vieze, slappe slierten.

'Dit is waanzin,' zei hij ten slotte.

Hanukkah knikte één keer, zei: 'Vind ik ook', en nam een slok van de sterke sharab die de kooplui van Samboenin zo vriendelijk hadden verstrekt. Hij keek Zelikman ernstig aan, liet zijn stem dalen en vroeg: 'Wat bedoel je eigenlijk?'

'Het is niet waanzinniger dan andere ondernemingen waarin we in het verleden mislukt zijn,' zei Amram. 'Misschien juist wel minder. Toegegeven, we zijn niet met velen, als je de burgers niet meerekent...'

'Moet ook niet.'

'Doe ik ook niet. Maar de strijders zijn van goede kwaliteit.'

'Ja,' zei Hanukkah. 'Dat is zo, Zelikman. Daar heeft hij gelijk in.'

'En ze zijn *woedend*,' ging Amram verder, 'maar ook weer niet zo door wraakzucht verblind dat ze niet inzien hoe gunstig het zou zijn om de gehate Noormannen te lijf te gaan met steun van het hele Chazaarse leger onder leiding van een nieuwe beg. En bovendien...'

'Je bent een betoog begonnen,' zei Zelikman droog.

'Daartoe werd ik aangezet,' zei Amram, 'toen ik zag hoe jij weer aan een sombere bui begon.'

'En bovendien?'

'Bovendien hoop ik dat je met je hoofd niet te diep in je pijp zit om te zien hoe weinig manschappen Boeljan hier in het garnizoen heeft achtergelaten. Ze zitten op de helft van hun gewone sterkte. Ik weet zeker dat hij zichzelf heel slim vond, om zo het zuiden prijs te geven aan plundering door de Noormannen. Hun aandacht en schepen afleiden van de Krim. Ineens liggen dan al die rijke steden op de Krim weer voor het grijpen en kan Chazarië ze terugveroveren. Maar ik kan me nu niet aan de indruk onttrekken dat Boeljan zich in het midden wat al te zeer verzwakt heeft.'

'Je wilt me zeker geruststellen,' zei Zelikman, 'met het idee dat Atil niet zo zwaar verdedigd zal worden. Maar nu raak ik juist bezorgder over de sluwheid van die Boeljan. De mannen die we om ons heen hebben verzameld worden naar de slacht-bank geleid, mijn vriend. En de enige redenen die ik ervoor zie zijn hebzucht, religie en meer van zulke loze wanen.'

'En wraak,' zei Filaq op ingehouden toon.

'De grootste waan van al,' zei Zelikman zonder de knaap aan te kijken. 'Het is *krijgskunst*, Amram. En ik wil niets te maken hebben met soldaten, legers, rangorde. Al het kwaad komt in de wereld door de daden van mensen die groepsgewijs iets ondernemen tegen een andere groep.'

Hij trok zijn mantel dichter om zich heen en beende weg naar de rand van het kamp, waar hij een eindje van het vuur in het lange gras ging zitten, met zijn gezicht naar het land van de Franken gewend en zijn smalle schouders gebogen. Af en toe stond hij op, deed al mompelend een paar passen en ging dan weer zitten.

'Het is een piekeraar,' zei Hanukkah.

'Hij drijft me tot waanzin,' zei Amram.

'Hij heeft heimwee,' zei Filaq. 'Dat zei hij tenminste.'

'Heeft hij dat tegen je gezegd?' vroeg Amram verbaasd. Zelikman zou niet gauw nostalgisch worden of bekentenissen doen, zelfs niet onder invloed van zijn pijp, en de schamele herinneringen aan Regensburg die hij in de loop der jaren tegenover hem had opgehaald hadden bepaald niet van terug-verlangen getuigd. 'Wat heeft hij dan gezegd?'

'Het is ver weg, het land van de Franken,' verklaarde Filaq, om daarna wijs te knikken, alsof hij onder de indruk was van zijn eigen geleerdheid. Hij stak zijn handen op, met de hand-palmen naar elkaar toe en een halve meter schijnsel van het vuur ertussen. 'Ik heb het gezien in een boek met landkaarten, in de bibliotheek van een heer bij wie ik soms met mijn vader op bezoek ging.'

Bij het noemen van zijn vader en de herinnering aan die bibliotheek met zijn kostbare landkaarten werd Filaqs zachte stem schor van emotie. Amram vroeg zich af of een jongen met een boek met wereldkaarten in zijn hand het gevoel had de wereld zelf te bezitten en of Filaq nu bij die herinnering daaraan het gevoel kreeg die wereld te hebben verloren. Filaq keek naar het sombere scharminkel, alleen, aan de rand van het duister, en de blik in zijn vreemde groene ogen werd ongebruikelijk zacht. Het was een harde jongen, verweesd en hooghartig, maar in de dagen volgend op zijn tijdelijke verlies van moed had Amram in Filaq de onmiskenbare tekenen van een ontluikend leiderschap gezien. Hij werd 's ochtends in het donker zelf wakker en ging pas slapen nadat hij zich ervan vergewist had dat de avondklok door iedereen werd nageleefd. Hij hield zich afzijdig van de mannen, zoals hij ook bij Zelikman en Amram had gedaan, sliep in zijn eigen tent, waste en ontlastte zich in afzondering, reed 's ochtends meestal weg aan het hoofd van de troepen, met niemand naast of voor zich, maar voegde zich in de loop van de dag vaak onder de manschappen, en liet zich dan helemaal terugvallen tot bij de zwakste en meest nutteloze achterblijvers, om mee te zingen met hun liedjes of schoenen te zoeken voor wie blootsvoets ging. Die middag had hij zijn dubbele portie van de afkoopsom verdeeld onder de zwaksten, die er het ergst aan toe waren. Hij sloeg te paard een goed figuur en zag erop toe dat degenen die de dieren verzorgden dat kundig en humaan deden. Zijn gezag was iets dat hij de Broederschap verleende, niet andersom, en Amram besefte dat hij zelf in zekere mate betoverd was geraakt door de gave van de jongen om dienstbaarheid af te dwingen, want gezien zijn pessimisme ten aanzien van de expeditie was er geen andere verklaring voor zijn aanwezigheid aan diens rechterhand, tenzij deze vuilbekkende jongen met zijn bleke huid en rode haar hem op een ongrijpbare maar diepgewortelde manier herinnerde aan zijn donkerbruine dochter Dinah met de inktzwarte ogen.

'Hoe is het daar, in het land van de Franken?' vroeg Filaq zonder zijn blik van Zelikman af te wenden.

'Koud en grijs en groen met stinkende mist,' zei Amram. In Regensburg was hij nooit geweest, maar lang geleden was hij een keer in het gevolg van de ambassadeur van Constantinopel 's winters langs de Rijn getrokken naar de keizer van het westen, en soms voelde hij de kou van die reis nog in zijn botten. 'De uitgestrekte wouden worden bevolkt door wolven en beren en mensen die de gedaante aannemen van wolven en beren. De steden van de christenen zijn schraal, beschimmeld, zonder pracht. Ze houden niet van joden. De familieleden van Zelikman, allen geleerden, zijn zowel door het volk als door vorsten vervolgd.'

'Zelf is hij ook geleerd,' zei Filaq, 'voor een gewone struikrover.'

'Een heer van de weg, een struikridder,' zei Hanukkah streng, waarop hij Amram een knipoog gaf en een gedeukte kroes wijn hief. 'Zijn wij dat soms niet ook?'

'Dat zijn wij ook,' beaamde Amram, en hief eveneens zijn gedeukte kroes.

Filaq stond op en knikte Amram toe. Hij wenkte een wachtpost en gaf hem, met een aarzelende hand op zijn schouder maar zonder twijfel in zijn stem, het bevel de wacht te verdubbelen voor het geval soldaten uit het garnizoen van Samboenin of een door de babakuk gezonden moordenaar verraad wilde

'Een heer van de weg, een struikridder.'

plegen in de nacht. Daarna liep hij, zorgvuldig zijn weg zoe-kend tussen de paardenvijgen, door de schemering naar zijn eenzame tent, wiegend met zijn slungelige kamelenheupen.

'Wonderlijke knaap,' zei Amram.

Op weg naar de tent moest de jongen langs Zelikman. Hij hield stil en bleef zwijgend kijken hoe Zelikman ergens boven het land van de Franken en het westen het licht zag wegster-ven. Zelikman leek zich niet van Filaqs aanwezigheid bewust, noch die van iets of iemand anders in de wereld, alleen van de gloeiende as in zijn pijp. Vanuit het hoge gras achter zijn vriend hoorde Amram een droog geschraap, als van een ruwe mouw tegen leer, en hij rende al op Filaq af toen hij iets zag trillen in de lucht, iets dat tolde met de traagheid van dobbel-stenen die rollen naar fortuin of ondergang. Zelikman sprong op, nam zijn hoed af als iemand die na een lange dag buiten in de zon het huis in komt, en gooide hem weg alsof hij mikte op een gewei aan de muur. Toen, terwijl de hoed, die dergelijk onheil al van een eerder mes had ondervonden, zijn leven gaf om dit tweede mes uit koers te stoten, wierp Zelikman zich erachteraan, boven op Filaq, die niets gezien en gehoord had. De jongen keek stomverbaasd toen Zelikman op hem neer-kwam en hem op zijn buik tegen de grond werkte, waar Filaqs kin met een smak tegenaan sloeg. Mes en hoed vielen ter aarde als een valk verstrengeld met zijn verslapte prooi.

'Ga van me af!' zei Filaq. Hij rolde onder Zelikman vandaan, die verbaasd keek als bij de onverwachte wending die zijn hen-nepdroom genomen had. Amram rende door naar het struik-gewas, hoorde gedreun achter zich, en werd even later gepas-seerd door een ongezadelde Hillel, die zich, met Filaq op zijn rug en Lancet als een slagersmes geheven, in de schaduw stort-

te. Het paard danste en sprong met behendige schijnbewegingen naar links en rechts als een hond die een rat achternazit, en
Filaq liet het zwaard doel treffen. Er klonk een pijnkreet en hij
sprong van het paard. Een handjevol Arsiyahs waren hun
Kleine Olifant te voet en te paard het weiland in gevolgd en
waaierden nu uit op zoek naar verdwaalde aanslagplegers.
Amram botste bijna tegen de onthutst kijkende Filaq op toen
die uit het hoge gras tevoorschijn kwam lopen met Hillel aan
de halster. Hij passeerde Amram zonder een blik, met een
borst die rees en daalde en groene ogen die het licht weerkaats-
ten van de vuren van de Broederschap, en liep op Zelikman af
die het stof van zich had afgeklopt en met het mes van de
huurmoordenaar zijn hoed aan flarden reet.

Filaq overhandigde Zelikman het leidsel en zei: 'Nooit zal ik
je gehechtheid aan dit paard meer als onnatuurlijk beschouwen. Maar er valt niets gunstigs te zeggen van dit zwaard, dat
niet eens geschikt is voor een vrouw.'

Filaq hief Lancet en overbrugde de kloof tussen hem met
zijn ranke spanwijdte – een kompasnaald die het kardinale
punt aangaf midden in Zelikmans borst. Ze stonden elkaar aan
te kijken, gescheiden door een afstand, kleiner dan die het land
van de Franken van Chazarië had gescheiden op de kaarten in
de bibliotheek van zijn jeugd. Er zinderde iets tussen hen, een
broeierige afkeer of onderdrukte genegenheid, die Amram wel
voelde maar niet begreep, en hij vroeg zich af of ook dat iets
met Zelikmans groeiende onrust te maken had. Voor zover
Amram wist had zijn vriend nooit met een man of een vrouw
geslapen, en de keren dat Zelikman in moeilijke tijden, in koude
nachten, het bed met Amram had gedeeld, hadden bewezen
hoezeer hun verhouding leek op die van Zelikman met zijn

paard. Amram had veel verloren en had veel alleen gereisd, maar Zelikman was gewoon eenzaam geboren.

Filaq veegde Lancet af aan de flap van zijn tuniek en gaf hem terug, met het gevest naar voren. 'Bedankt voor het redden van mijn leven.'

'Ik red geen levens,' zei Zelikman. 'Ik verleng alleen hun vergeefsheid.'

Toen de soldaten met lege handen terugkeerden van hun zoektocht in het gras, gaf Filaq bevel om bericht naar Samboenin te sturen.

'Zeg ze dat hun laffe daad mislukt is,' zei hij, 'en dat we, als ze deze nobele Broederschap morgenochtend niet van vijfhonderd bewapende, sterke mannen hebben voorzien, de technieken op hun stad gaan uitproberen die we van de Noormannen hebben geleerd.'

Het verhaal van de mislukte aanslag verspreidde zich razendsnel door de Broederschap, en de dag daarop deed het in opgesmukte vorm de ronde door de moerasstreek. Tegen de tijd dat de Broederschap bij de poorten van Atil aankwam, telde die bijna tienduizend man, waaronder de vijfhonderd die met tegenzin door Samboenin waren afgestaan, en nog vier afvallige detachementen van de Arsiyahs die net van de veldtocht in de Krim terug waren, waar, met een onjuistheid die goed van pas kwam, het gerucht de ronde had gedaan dat een wonderkind, bijgestaan door een geest en een zwarte reus, een leger op de been had gebracht om daarmee in naam van Allah Chazarië en de wereld te veroveren.

De geest in kwestie was echter niet langer lid van deze half-mythische staf. Hij was bij zonsopgang naar Amrams tent gekomen met een kil, scheef lachje om zijn mond.

'Dat ik je niet vraag om samen met mij te vertrekken,' zei hij, 'is alleen omdat ik bang ben dat je dat uit pure koppigheid zult weigeren.'

'Dan zou je me logischerwijs moeten vragen te blijven,' zei Amram.

'Blijf,' zei Zelikman. 'Vecht mee met vreemden. Sterf bij een poort, op een borstwering, sterf in een vreemd, smal steegje.'

Amram liet zich terugzakken op de hobbelige grond die hem de hele nacht wakker had gehouden en keek op naar het schijnsel dat de strepen van zijn tent begon te verlichten.

'Misschien heb ik er genoeg van,' zei hij. 'Misschien ben ik het zat om het leven in stukjes en beetjes en brokjes te beleven. Als je zo oud bent als ik, krijgt het idee om een onderneming eens helemaal van begin tot eind mee te maken en af te ronden iets aantrekkelijks. Bovendien – waarom, weet ik niet, maar ik mag die jongen wel.'

Zelikman knikte, waarop ze elkaar omhelsden en in vijf talen een paar simpele woorden zeiden. En allemaal betekenden ze zo ongeveer 'vaarwel'.

◆

HOOFDSTUK NEGEN

Over spanningen, voortvloeiende uit de ontoelaatbaarheid, hoe onredelijk ook, van het minjan maken met een olifant

'Oorlog,' zei Joseph Hirkanos tegen de olifant. Hij spoog in het gras, schudde zijn hoofd en trok aan de vlechtjes in zijn baard. De olifant, met haar gebruikelijke air van stoïcijnse minachting, brieste instemmend en bleef met haar gehavende slurf dikke bossen dravik losrukken om ze in haar mond te proppen. Haar loopbaan als strijdolifant was allang voorbij; ze was een grote, bedaarde matriarch van minstens vijftig die tientallen jaren her bij een aanval op het mohammedaanse Sicilië door de Noormannen was buitgemaakt en meegenomen naar het rijk der Franken, waar ze door een reeks verkwistende baronnen was verwaarloosd, totdat ze een halfjaar geleden bij wijze van betaling in de uitgebreide, nogal willekeurig samengestelde boedel van de Hirkanos-clan was opgenomen. 'Ellendig voor de Radanieten.'

'Dat hoeft niet,' zei zijn neef, die ernaar streefde een uitgeslapen kerel te worden – waarbij alleen zijn gebrek aan uitgeslapenheid hem in de weg stond – en die voor zover Joseph kon zien dagwerk had aan het behoeden van zijn meningen voor toetsing aan de werkelijkheid. 'Oorlog brengt ook mogelijkheden met zich mee.'

'Ja, op de korte termijn,' zei Joseph, en hij spoog weer. 'Wat op korte termijn goed is, heeft op lange termijn alleen maar nadelen.'

Ze stonden op een flauwe helling ten westen van Atil, boven de laatste bocht in de kronkelige weg van de sprengen van de Donau, over vlakten, bergen en moerassen, per schip en per wagen, naar de monding van de Wolga, een moeizame reis van anderhalf jaar. Joseph Hirkanos bracht een zeldzame kijker van Perzische makelij naar zijn ogen, een artikel in de handel waarin zijn familie zich in gespecialiseerd had, en tuurde naar de horizon die hem zorgen baarde. Een halve mijl hoge stofpluim bewoog zich langs de zuidelijke hemel, traag en dreigend, een ganzenveer die opstandige leuzen op de kusten van de Chazaarse Zee krabbelde. In de berichten die hij ontving, ook al bestonden die voor de helft uit leugens en overdrijvingen en voor twee derde uit hoopvolle fantasieën, werd het opstandelingenleger afgeschilderd als een hard soepbeen van een stuk of vijfhonderd Arsiyaanse ruiters, sudderend in een waterige bouillon van mohammedaanse huurlingen en gepeperd met een handvol oudgedienden, heidenen, vuuraanbidders en joden die de val van Boeljan voorzagen of daar althans op hoopten. In de ogen van Joseph Hirkanos allemaal barbaren, vooral de Chazaarse joden. Zoals de meeste Turkse horden die te paard over de oostelijke steppen kwamen aandenderen vonden ook de Chazaren uiterlijke vormen van godsdienst betrekkelijk onbelangrijk, en Joseph had ze er altijd van verdacht het jodendom niet zozeer uit heilige roeping te hebben omarmd als wel uit hun door voorzichtigheid ingegeven onwil om zich aan te sluiten bij hun christelijke of machtige islamitische buren.

'Tien jaar ben ik hier niet geweest, en uitgerekend als ik aankom, breekt er een oorlog uit,' zei Joseph Hirkanos verbitterd. Als zelfs de Chazaren, die ruimdenkende, pragmatische lieden, ten prooi waren gevallen aan leerstellige twisten, waar moest het dan met de wereld heen? 'Een gódsdienstoorlog.'

'Als het anders niets is,' zei Menashe, zijn broer, die opeens naast hem stond zonder dat een fluistering in het gras of een luchtverplaatsing zijn komst had aangekondigd. Net als bij zijn broer en alle andere geslaagde Radanitische joden was hij verslingerd aan sluipen, stil en onopvallend, door zijn aard en vorming in staat zich onopgemerkt in vijandelijke en oorlogvoerende koninkrijken te begeven, behalve wanneer het ogenblik aanbrak dat er gekocht of verkocht moest worden; dan hulde hij zich als een omgekeerde mythische held in zijn zichtbaarheidsmantel om zijn schitterend geschenk van handel aan de naties te bieden die nog altijd in de duisternis van verovering en vergelding ondergedompeld waren. 'De Venetiaan zal de avond niet halen.'

Ze hadden zich in de stad Cherson – waar de vader van Josephs neef, gewoontegetrouw op een bijzonder slecht gekozen tijdstip, aan een kwaal ten prooi was gevallen – verzekerd van de diensten en goederen van een Italiaans-joodse koopman. Maar nu stonden ze weer met negen man, een situatie die voor een vrome jood vooral tegen het naderen van de avond onverdraaglijk was, al zou Joseph de Venetiaan niet missen, met zijn muggezifterij en zijn gewoonte dag en nacht toonloos te fluiten, zelfs in zijn slaap.

'Dat is ellendig,' zei Joseph; hij liet de Perzische kijker zakken en keek langs zijn broer, die net als hij haarloos en vetloos was, met de zware oogleden en grote oren van een behoedzaam woestijndier, langs zijn neef, de halfgare halfwees, langs de groepjes muilezels en paarden, langs de kraal van karren met onder hun huiven van huiden en planken een kostbare lading van bont, huiden, hout, ijzer en edelstenen, die hij met veel onderhandelen had vergaard en onder barre omstandigheden helemaal van Regensburg naar deze winderige heuvel boven de bliksemvork van de delta had vervoerd, naar Atil, een stad waarvan de heersers altijd een opmerkelijke hartstocht voor olifanten aan de dag hadden gelegd. 'Maar in de ogen van de Eeuwige zal het sluiten van de zoveelste handelsroute van oost naar west vanwege gekibbel tussen christenen, islamieten en joden toch wel erger zijn dan een godsdienstige overtreding van negen kleine joodjes.'

'De routes gaan een voor een verloren,' stemde zijn broer in, wiens door de generaties overgeleverde kennis van de langzame teloorgang van de grote handelsvloten en karavanen net als bij alle andere Radanieten terugging tot de val van Rome en de opkomst van al die oorlogszuchtige stiefkinderen van het jodendom, de volgelingen van de islam en het christendom, die elkaar liever de hersens insloegen dan onderhandelden, tegen alle goddelijke geboden en leringen en vooral het gezonde verstand in.

'Die daar lijkt wel een Frank,' zei de neef, en hoewel hij te midden van Franken was geboren en getogen en zijn ogen nog te jong waren om de optische kunsten van de Perzen van node te hebben, waren zijn ooms zo gewend zijn onafgebroken stroom idioterieën te negeren dat ze er geen van beiden de geringste aandacht aan besteedden en naar de stralend witte stad van de Chazaren bleven kijken die aan weerskanten van de rivier lag. Toen ze zich omdraaiden en de stroharige vreemdeling op het ruige paard met de grote neus zagen, stond hij al bijna tussen hen in. Joseph had nog net de tijd om de bleke streep op het voorhoofd van de Frank op te merken, die leek te duiden op het recente verlies van een hoed, en de reusachtige naald aan zijn gordel te zien die wellicht op lidmaatschap van een bedelorde van vrome hoedenmakers of een dergelijk bizar genootschap wees.

'U bent Radanieten,' zei de spillebenige vreemdeling in het Frankisch, en Joseph meende een verwonderde toon in de stem van de onbekende waar te nemen, alsof de man hen niet alleen aan hun gevlochten baard en hun hoofdbedekking herkende, maar hen al eerder had ontmoet, ergens langs de wegen in een ander koninkrijk. 'Uit welk land?'

'Het land der Franken,' zei de neef voordat een van zijn ooms zijn domme dikke lippen met een ontwijkend antwoord het zwijgen kon opleggen. 'Uit Regensburg.'

'Ah,' zei de vreemdeling en verder niets, alsof de naam van landstreek of stad hem niets zeiden, en dat wekte de argwaan van Joseph. De vreemdeling sprong uit het zadel en strekte zijn benen, liep drie keer langzaam om de olifant heen, streek met een overtuigend deskundige blik langs zijn kin, betastte de groeven en kloven in haar huid met zijn vingertoppen, bekeek het grijzende borstelige haar op haar schedeldak, wierp een blik op haar linkerslagtand, die een sterkere binnenwaartse kromming en een donkerder patina vertoonde dan de rechter en bezag de sceptische uitdrukking in haar ogen.

'Cunegunde?' vroeg hij ten slotte.

'Onder die naam stond ze eens bekend,' zei Menashe. 'Een

*Ze besteedden er geen van beiden de geringste aandacht aan en bleven
naar de stralend witte stad van de Chazaren kijken.*

tiental jaren her, toen ze deel uitmaakte van de menagerie van de paltsgraaf van Worms.'

Een ogenblik lang liet de vreemdeling iedere schijn van behoedzaamheid varen en stond hij naar het beest te kijken alsof hij op dat afgelegen oord tussen de barre bergen en de barbaarse zee de grote grijze basiliek van Worms zelf zag verrijzen. Iets in het gezicht van de onbekende, de manier waarop hij de olifant opnam alsof hij door haar ruwe buitenste omhulsel haar gigantische organen zag liggen en de kanalen en sluizen die hen bedienden, wekte een herinnering in Joseph Hirkanos, zodat hij eveneens de vreemdeling leek te herkennen, als zag hij een zekere familiegelijkenis in diens scherpe anatomenblik.

'Nu u het hebt gewaagd naar de identiteit van Cunegunde te gissen, zal ik dat ook naar de uwe doen,' zei hij, 'Mijn heer, tegenover u ziet ge joden in een netelig parket. Het gebedsuur nadert en we zijn slechts tien in getal, van wie één ziek en stervende aan een onzuiverheid van het bloed. Daarom waag ik het u te vragen, in de hoop dat mijn vraag me niet euvel zal worden geduid, of mijnheer zich wellicht onder de zonen van Abraham en Izaak rekent en als onze tiende man met ons zou willen staan?'

De vreemdeling keek zwijgend naar de dikhuid, die hard aan een modderbad toe was, want haar vel was stoffig en bedekt met korsten en vuil van het reizen. Hij zuchtte en de olifant zuchtte eveneens.

'Breng me naar de arme drommel,' zei de onbekende, 'dan zal ik zien wat ik kan doen.'

Ze volgden de neef naar de tent, die even bol en gestreept was als de hoofdwindselen van de Radanieten, en daar lag de

Italiaan, bedekt met een zilveren waas van zweet en met open, starende ogen als van een vis. De vreemdeling liet zijn zadeltassen vallen en riep om kokend water. Hij knielde neer, trok zijn overkleed uit en stroopte de witte mouwen van zijn onderkleed op. Hij goot adstringerende olie in zijn handen en wreef zijn onderarmen tot de elleboog in, tot vermaak van de neef, die een verkeerde gevolgtrekking maakte en in zijn dwaasheid een geneesheer meende te zien die in plaats van de zieke zichzelf het medicijn toediende. De vreemdeling boog zich over de Italiaan heen om zijn adem te ruiken, legde zijn oor tegen de borst van de arme kerel en voelde zijn pols. Al doende vroeg hij naar het verloop van de ziekte van de Italiaan, de plaatsen die de karavaan op zijn reis had aangedaan en het welzijn van de Regensburger joden, de toestand van de wegen en het waarheidsgehalte van het gerucht dat de kagan van de Chazaren uitsluitend door de beg gezien mocht worden en dat hij in keizerlijke afzondering in een paleis woonde waar hij absoluut, doch tevens machteloos, voor een strikt afgebakende termijn regeerde, totdat hij op een vastgestelde dag naar een woud werd meegenomen om daar met een zijden strop te worden geworgd. De Radanieten antwoordden dat zij hetzelfde verhaal over de kagan hadden vernomen, maar dat ze er weinig meer aan konden toevoegen zonder zich aan ongeoorloofde praat schuldig te maken.

'Ik weet dat de Radanieten onvoorwaardelijk aan hun geheimhouding zijn gehouden,' merkte de vreemdeling op. 'En toch doet zich de merkwaardige paradox voor dat iemand die de wagens van een Radaniet lichter, en diens beurs zwaarder maakt, dikwijls de meest abjecte roddelpraat te horen krijgt.'

Menashe Hirkanos nodigde de vreemdeling uit zijn vraag

op een later tijdstip te herhalen, wellicht na een blik op hun voorraad edelstenen of lederwaren, en te zien of het antwoord dat hij dan kreeg meer opheldering verschafte.

Eindelijk was de onbekende met zijn onderzoek gereed; hij verzocht allen hem met de zieke alleen te laten, opdat hij, zoals hij het droogjes uitdrukte, gruwzame en onwelriekende ingrepen bij hem kon verrichten. Toen de onbekende zich een uur later, toen het donker was geworden, bij hen voegde voor het avondgebed, begroetten de gebroeders Hirkanos, die tijdens zijn afwezigheid over hem hadden gesproken, hem met hernieuwde belangstelling, hetgeen ze geheel naar hun aard probeerden te verbergen. Nadat ze hun doden hadden herdacht, gingen ze rond een flink kampvuur zitten, en de Sorbische slaaf vulde hun bord met geroosterd lamsvlees en gekookte rijst met uien en vet en schonk hun drinkbekers vol wijn. De vreemdeling boog zich zonder zichtbaar genoegen over zijn maal en nam kleine slokjes wijn. Toen haalde hij een klein pijpje van klei of been tevoorschijn, vulde het met een donker mengsel en stak dat met een strootje aan.

'Regensburg,' zei hij. 'Daar heb ik vele jaren geleden als student in de geneeskunde enige tijd doorgebracht. In de Jodenstraat.'

'Een gulden baken van vroomheid en geleerdheid,' meende Joseph Hirkanos, 'een licht in de duisternis van die christelijke streken.'

'Er was daar een familie die me onderdak bood. De familie van Meshulem ben Hayim, een vermaard geslacht van geneesheren.'

Joseph, Menashe, hun neven en de andere drie Radanieten bij het vuur, die behoorden tot de clan van de Sacerdoti uit

Ragusa, bewaarden hun overeengekomen stilzwijgen, behoedzaam en afgemeten. De neef snoof en deed een weinig overtuigende poging zijn gesnuif voor geproest te laten doorgaan, alsof hij zich in zijn wijn had verslikt.

'Een buitengewone familie,' zei Joseph Hirkanos, die zich net als de anderen op de vlakte hield. 'Een lichtend voorbeeld voor onze broeders in het westen. Helaas kennen we deze lieden niet persoonlijk, aangezien we in hun stad nimmer met ziekte te kampen hebben gehad.'

'Ik stel me zo voor dat ze sedertdien minder talrijk zijn geworden,' zei de vreemde. 'Ze waren al niet zeer groot in getal. Enkele ongehuwde oude mannen en weduwnaars, die geheel in hun boeken opgingen. Treurig genoeg besteedden zij hun zorg en artsenij aan de edelen en gezeten poorters die het onwetend janhagel zijn gang lieten gaan toen het de joden wilde uitmoorden.'

'Ik meen,' zei Joseph Hirkanos, 'dat er nog slechts één lid van die familie in leven is.'

'Eén slechts.'

'Hij heet...' Joseph deed alsof hij zijn broer vragend aankeek. 'Ik dacht...'

'Solomon?' vroeg de vreemdeling gretig, en Joseph bemerkte nu voor het eerst hoe jong hij nog was. Maar hij zei niets en de anderen schudden plechtig het hoofd en wendden onwetendheid of geheugenverlies voor.

'Wat een opmerkelijk paard hebt u daar,' zei de neef na een korte stilte. 'Jammer dat het zadel en het hoofdstel zo slecht gemaakt en versleten zijn.'

De Radanieten keken hem verbijsterd aan en zijn oom Joseph leek nog het meest verrast van allemaal. De verwondering van de vreemdeling was echter sneller verdwenen dan die van de Radanieten.

'Inderdaad,' zei hij. 'Ik ben hem wel iets beters verschuldigd. Morgenochtend zou ik graag uw beste waar willen zien.'

'Uw oom is dood,' zei Joseph Hirkanos. 'Uw vader heeft alle hoop op uw terugkeer laten varen.'

Zelikman ben Solomon glimlachte.

'Dat was reeds lang het geval, al jaren voordat ik uit Regensburg wegtrok,' zei hij. 'Hoe vaart de oude schavuit?'

'Hij is zwak. Als we onze zaken in Atil hebben afgehandeld, willen we langs de kortste weg terug naar Regensburg. Met Gods hulp kunt u hem nog weerzien eer het te laat is.'

'Voor hem en mij was het al te laat op de dag dat ik geboren werd,' zei Zelikman.

'Vergiffenis schenken is een grote zegen,' zei Joseph. 'Maar een nog groter zegen is het als men zichzelf kan toestaan vergiffenis te ontvangen.'

'De handelsposten van de Radanieten zijn gerieflijk en welvoorzien,' zei Menashe. 'De vergoeding die u ons voor het meereizen zou betalen staat nauwelijks in verhouding tot de uitstekende verzorging die u kunt verwachten.'

'De oude baas heeft geen halfjaar meer,' zei de neef.

Daar dacht Zelikman langdurig over na; in zijn roes leek hij de mist en de heldere zonneschijn, het diepe, geurige woud en de klokken van de kathedraal al te beleven.

'Ik zal uw vriendelijke uitnodiging graag aannemen,' zei hij toen. 'In ruil bied ik u mijn diensten als geneesheer aan.'

De olifant kreunde zacht en ze schrokken op; een ogenblik later voerde de wind over de rivier een zwakke toon aan, en toen nog eens.

'Trompetten,' zei de neef.

Ze liepen naar de rand van het plateau en zagen in het oosten vuurtjes oplichten in het donker. De Broederschap van de Olifant had eindelijk de muren van Atil bereikt. Zelikman keek ongerust naar de flakkerende lichtpuntjes alsof die tezamen een sterrenbeeld vormden waarop hij een twijfelachtige koers poogde te bepalen.

'Oorlog,' zei Joseph Hirkanos. 'Slecht voor de zaken.'

Zelikman zweeg lange tijd en de oude Radaniet nam aan dat hij hem niet had verstaan of dat hij niets aan zijn wijze, wrange opmerking toe te voegen had.

'Helaas,' zei Zelikman eindelijk, 'gaat dat niet op als men geneesheer is.'

De volgende morgen kwam de Italiaan overeind en vroeg om bouillon, en kort daarop floot hij weer de eerste maten van zijn eindeloze toonloze wijsje. Maar toen ze Zelikman ben Solomon van Regensburg wilden danken voor het redden van het leven van hun reisgenoot, op wie ze ondanks zijn gefluit gesteld waren geraakt, bleken hij en zijn paard spoorloos verdwenen. Bij inspectie van hun wagens bleek dat er een goed hoofdstel en een prachtig Iberisch zadel ontbraken.

◆

HOOFDSTUK TIEN

Over een late wederdienst voor een geschonken peer

'Ik kan maar één mensenleven tegelijk redden,' zei Zelikman.

Hij zat in kleermakerszit op een kleed dat naar hitsige schapen rook, in een hondentent waar de verstikkende duisternis voor zover hij kon zien uit gelijke delen ranzig vilt, walmen van brandende mest en scherpe schaduwen van een op nafta brandende lamp bestond. Hij deed zijn uiterste best Amram te bewegen hem en zijn voorstel serieus te nemen, wat werd bemoeilijkt door het feit dat hij nog gehuld was in de gewaden en de tulband die de Radanieten hem zo onbedoeld ruimhartig hadden gegeven, en dat zijn schriele goudkleurige baard tot armzalige vlechtjes was gevlochten en bezoedeld was door roet van de lamp.

'Zoals je weet ga ik niet al te zeer onder principes gebukt,' ging Zelikman voort. 'Ik ben een struikridder, een afvallige van het geloof mijner vaderen, een opstandeling, een bandiet, een huurling en een dief, maar dit is een duidelijke kwestie van spaarzaamheid en daar houd ik aan vast: wat jij er ook van mag vinden, of die lastige knaap, of al die levende, gezonde kerels die voor het merendeel nog in het bezit van al hun ledematen en lichaamssappen zijn – als we maar één man tegelijk kunnen redden, dan moeten we er ook niet meer dan één tegelijk willen doden, verdomd nog aan toe.'

'Daar heb ik geen woord van verstaan,' zei Filaq. Hij had niet bij de herenigde reisgezellen willen gaan zitten en leunde nu tegen de hoogste tentpaal, vlak bij de lage deurflap, met de armen om zichzelf heengeslagen zoals een jongen doet die zich probeert te beheersen. Hij keek Zeligman van onder zijn rossige wenkbrauwen woedend aan. 'Maar als deze barbier voorstelt dat we, nadat we al deze mannen hebben bijeengetrommeld met de belofte dat hun grieven in een mooi gevecht gewroken zullen worden, nu als zakkenrollers de stad in sluipen om Boeljan in zijn slaap met een zijden gordel te wurgen...'

'Een zijden sjaal mag ook,' zei Zelikman.

'... en die brave borsten naar huis sturen met een handdruk en een bedankje voor de moeite, dan moet hij maar weer terugkruipen naar het onwelriekende westerse moeras dat hem heeft uitgewasemd, zodat wij de zaak op z'n Chazaars kunnen regelen. Openlijk. Met vuur en staal. En snel, Amram – vandaag nog, nu, voordat de hoofdmacht terug is uit de Krim en ons omsingelt.'

'We hebben nog geen twee uur geleden onze eis van overgave gebracht, jongetje!' zei Amram. Zes lansiers van het vijftiende regiment Arsiyahs, de best uitgeruste en bewapende troepen van de Broederschap, waren de stad binnengelaten met een witte vlag en geloofsbrieven waarin Kleine Olifant, Filaq, zich de nederige en eeuwig trouwe dienaar betuigde van de kagan, in wiens naam iedere wapenstilstand geheiligd werd gehouden, met ruimhartige voorwaarden indien Boeljan zich overgaf: hij mocht niet alleen zijn huisraad, kamelen en tenten behouden, maar ook – ondanks de tegenwerpingen van Filaq – zijn ogen en zijn tong.

'Bovendien hebben jouw "brave borsten" geen grieven tegen Boeljan,' zei Zelikman, die de aanvechting moest weerstaan zijn verwurgingstechniek ter plekke op te frissen, hetzij met een sjaal, hetzij met zijn blote handen. 'Zij hebben kwestie met de Varjagen. En hoe eerder en moeitelozer jij beg kunt worden en het vrijgeleide kunt intrekken dat Boeljan de Noormannen heeft toegezegd, des te eerder je mannen de schadeloosstelling kunnen krijgen die ze wél willen, en hoe meer van die mannen het ook werkelijk zullen beleven als dat lukt. Jij bent degene die een grief tegen Boeljan hebt, verwaand opsnijdertje.'

'Nog niet eens aan de macht en je denkt nu al als een despoot,' merkte Amram met een droevig spottend lachje op, zonder van zijn shatranjbord op te kijken. 'Je verwart je eigen wil met die van de mannen over wie je de baas speelt.' Nog steeds met zijn blik op het bord greep hij de linkerenkel van de jongeman en gaf er zo'n ruk aan dat Filaq onderuit ging op het kleed. 'Ik begin me zorgen over je te maken, ik zweer het je.'

'En ik begin me zorgen te maken over jou,' zei Filaq onder het opkrabbelen; het bloed was hem vlammend naar hals en wangen gestegen. 'Je lijkt te zijn vergeten wat het doel is van die indrukwekkende bijl waar je zo fier mee rondstruint. Ik dacht dat je een soldaat was. Maar nu zie ik dat je niets meer bent dan een laffe barbier, net als je vriend.'

'Ik bén soldaat.' Amram keek eindelijk op en lachte niet meer.

'O ja? Vecht dan ook als een soldaat. We hadden meteen bij aankomst al moeten aanvallen.'

'De mannen waren moe. Het was donker. De stad is goed verdedigd en op alles voorbereid.'

'Gaat het bij het Byzantijnse leger ook zo? Vóór de nederlaag al excuses aanbieden om jezelf die moeite later te kunnen besparen?'

Zelikman moest toegeven dat Filaq de gave had soldaten te bevelen, want hij wist wat de knaap al had aangevoeld: dat Amram gevoelig was voor hoon op het juiste ogenblik. De Afrikaan had te lang als vechthond in des keizers arena's gediend om niet te reageren op een uitgekiend, op het juiste ogenblik toegediend rukje aan het tuig, ook al was dat afkomstig van een baardeloze knaap die geen duidelijke voorstelling had van de moeilijke, dramatische stiel van het oorlogvoeren. Filaq stond met opgetrokken bovenlip voor hem, zijn mooie ogen schitterend van minachting, zijn zachte slanke vingers aan het gevest van zijn ongebruikte zwaard, met het overwinnaarsair dat alleen de rekruut zich durft aan te meten die groen is als gras.

'Laat je spionnen binnen de muren hun werk doen,' zei Amram. 'En als je bericht hebt ontvangen...'

Op handen en knieën en met gekletter van wapenrusting kwam een Arsiyah-soldaat de tent in kruipen. Hij drukte zijn voorhoofd tegen de bloed-blauwe patroontjes van het kleed en wachtte tot Filaq hem toestemming gaf te spreken.

'Heeft hij geantwoord?' vroeg Filaq.

'Het is... we hadden te horen gekregen dat Boeljan een afgezant zou sturen, heer, een oude vriend van u. Maar ze hebben alleen een olifant gestuurd.'

'Een olifant?' fluisterde Filaq.

'Een heel oude olifant. Mager, oud en traag.'

Filaq bleef roerloos staan en schudde zijn hoofd.

'Met een kale plek op zijn voorhoofd,' zei hij zacht.

'Ja, heer. Vlekkerig en glad.'

Filaq kroop langs de wachter, duwde hem opzij, stak zijn hoofd uit de tent en keek in de richting van de grote poort van Atil. Wat hij toen zag bracht hem buiten zichzelf. Hij sprong op en begon te rennen, lachend, snikkend, struikelend over zijn eigen voeten.

Amram en Zelikman gingen achter hem aan en waren net op tijd bij de poort om te zien hoe Filaq met zijn slanke, in de te ruime mouwen van een geleend gevoerd harnas gestoken armen de verweerde slurf van een afgeleefde olifant omvatte. Het graatmagere dier stond te tollen en maakte haast slagzij; de huid was knobbelig, bultig, met littekens als witte putten, afbladderend met lappen papierachtig vel die als houtkrullen omlaag sneeuwden rond de voeten: een karrenvracht rafelige, beschimmelde dekens, haastig en slordig over een ingestorte schuur gedrapeerd. Uit de mysterieuze machinerie in zijn binnenste steeg een gestaag gereutel op, als wind door de takken van een johannesbroodboom, en daaronder klonk een dieper gerommel, het onmiskenbare continuo van genoegen terwijl de knaap over de gevlekte kale plek tussen de flegmatieke, maar van melkachtige tranen druipende oogjes wreef.

Filaq sprak het dier toe en noemde het zijn schoonheid, zijn moedertje, zijn koningin. Een klein eindje van de knaap en de olifant, alsof ze wilden voorkomen dat de hereniging werd verstoord, stonden de bereden lansiers van het vijftiende regiment Arsiyahs met achter hen vier soldaten te voet met de witte vlag en de geïmproviseerde groene wimpel van de Broederschap van de Olifant; de gezichten van de soldaten waren uitdrukkingsloos onder de rand van de ronde helmen.

De olifant maakte zijn slurf los uit Filaqs omhelzing, wendde de trage kop op de knarsende molenstenen van de nekwervels naar links, naar rechts, alsof hij naar de mannen om hen heen wilde wijzen, en maakte een klokkend geluid met zijn keel of zijn lippen. Het dier wankelde achterwaarts in de richting van de soldaten. Een van de paarden sprong schichtig opzij en de berijder hief zijn lans en dreef die diep in de flank van de olifant.

Het leven werd in vlagen door het gat in de zij van de olifant naar buiten geblazen, met een geur van verrotting en een lachwekkend winderig geluid. Het dier stootte een paar vlakke, gedempte klanken uit die een geagiteerde echo van ver weg leken op te roepen, en tuimelde toen voorover; de zware schedel trok het omlaag. Het bouwwerk van de kop daverde tegen de grond, maar het lichaam viel met een licht gekraak, als van dorre takjes. Door de val warrelde een wolk van stof en tere huidschilfers omhoog.

'Vervloekt,' zei Amram en hij greep naar de Moederschender, die op zijn rug hing. De bedriegers gooiden de wapperende banieren op de grond en trapten ze in de modder, ontrolden het Chazaarse menoravaandel en trokken hun zwaard. Amram verhief zich in zijn volle lengte en ontblootte het lemmet van zijn Vikingbijl, maar voordat hij de kans kreeg ermee uit te halen, sleurde een van de bedriegers Filaq van de dode olifant af, greep naar de kraag van zijn tuniek, scheurde de voorkant los en onthulde een witte buik met een zachte zwelling, een gewelfde heup en twee meter linnen windsels, die strak om een ranke borst gewikkeld waren. Filaq verzette zich, gromde, vloekte en gilde het uit toen de soldaat de witte onderbroek wegtrok en een vaantje rossig haar onthulde, dat alleen door de wind opbolde. Met een zwierige uithaal van zijn ponjaard – zo'n onverschrokken gebaar dat bevrijders na aan het hart ligt – sneed de soldaat de windsels los, die van Filaqs lichaam af sprongen en daarbij de geschrokken blik van een borstenpaar onthulde, door de hand der natuur zo gevormd dat ze in de hand van een minnaar zouden passen.

Over de vlakte van modder, gras en starende gezichten, over de met piekeniers en boogschutters bestekelde kantelen en hoektorentjes van de stadsmuren van Atil, van de Zwarte Zee tot de Chazaarse Zee, van de Oeral tot de Kaukasus, daalde een diepe stilte neer, alleen verbroken door de wind in het gras, een hoefslag van een paard dat opzij stapte, het hortende ademen van de Kleine Olifant, Filaq, met wie ze hadden gemarcheerd, geslapen en gehuiverd, de zoon, de prins die ze op hun schouders hadden geheven en die als hun beg over hen zou heersen, de wreker van de verkrachting van hun zusters, van het brandschatten van hun huizen, van de roof van hun bezittingen. Al Zelikmans minachting, al zijn wrok tegen de vuilbekkende, verwende knaap die hem al sinds de redding bij de karavanserai dwarszat, was door de dubbele schok van de moord op de olifant en de onthulling op slag verdwenen. In plaats daarvan voelde hij alleen nog medelijden met dat blanke, met modder bespatte wezen, een moederloos meisje, dat machteloos als een buitgemaakte vlag in de greep van de soldaat hing.

Voordat Amram zich kon herstellen hadden de bereden bedriegers hun lansen al op hem gericht. Hij bestudeerde de hoeken en afstanden, de magere gezichten onder de helmen, het wonder van het meisje, de blikkerende stalen punten van de lansen. Hij wierp zijn bijl neer. Ze bonden zijn armen op zijn rug en dreven hem en het meisje naar de stadspoort. Zelikman greep naar Lancet, maar Amram keek snel om, alsof hij het tikje van het lemmet had gehoord, en zocht tussen de verblufte gezichten van de Broeders naar dat van zijn oude vriend; op zijn ondoorgrondelijk gelaat stond noch een waarschuwing voor overhaast handelen, noch berusting in zijn nederlaag te lezen, alleen iets nuttigers, iets wijzers: een zweem van geamuseerdheid – *Wat zeg je me daarvan?* En Zelikman hervond zijn schranderheid, vergat zijn verontwaardiging, weerstond de verleiding om in paniek te handelen en liet zijn wapen waar het, althans voorlopig, thuishoorde.

Als apen op een rots bij zonsondergang, als kraaien in de bomen, als de klokken van een wachttoren in een belegerde stad, begonnen de Broeders allemaal tegelijk te praten, en degenen die het dichtst bij de poort stonden en de mannen in de uiterste uithoeken van het kampement probeerden de schrille wonderen die ze hadden aanschouwd en de hoogdravende verzinselen die ze hadden opgevangen met elkaar te verzoenen.

'Meester?' zei Hanukkah, die Zelikman omzichtig naderde met één hand voor zich uit, als een man die in het donker de trapleuning zoekt. Hij droeg een maliënkolder, één laars en geen broek, zijn arm zat in een mitella en zijn ene wang was gekneusd, zijn kater hing als een mantel om hem heen, hij wankelde en tuurde, en een lus van zijn wollen beddenrol was in een ringetje van zijn maliënkolder blijven haken, zodat de deken achter hem aan door de modder sleepte. 'Bent u daar?'

Hij stak zijn hand uit, zijn mollige wangen slap, zijn felle oogjes door de verrassing van iedere zichtbare emotie ontdaan, en trok aan een van de vlechtjes in Zelikmans baard. Maar de wonderen van die dag waren nog niet ten einde, want voordat Zelikman antwoord kon geven, klonk er geroep uit de achterhoede, gevolgd door het schallende getetter van een niet-menselijke trompet. Er ontstond een bres in de horde soldaten, en als een dijk die het begeeft onder een stortvloed van water deinsden ze terug of schoten ze uiteen om vrij baan te maken voor Cunegunde, de olifant, die naar de stadspoort van Atil slofte; haar huid was geschrobd en geolied en glinsterde in de zon, ze was getooid met purper- en goudkleurige zijde en om de punten van haar slagtanden zaten vergulde leren hoesjes. Op haar rug, in een grote rieten mand, hotsten de neef van Joseph Hirkanos en drie of vier van zijn ooms, die zich aan de randen van de mand vasthielden. Het effect van hun schitterende zijden gewaden en de kleurige linten in hun snor en baard werd enigszins tenietgedaan door hun doodsbange gezichten toen de olifant voorwaarts stormde.

Bij de dode olifant bleef Cunegunde staan. De blik waarmee ze naar het lijk keek was niet te peilen. Ze snuffelde, bromde, onderzocht de plooien, putten en littekens van de huid. Ongeduldig verdeelde ze haar gewicht over de vier pilaren van haar benen en ze leek opnieuw te worden getroffen door een fundamentele onrechtvaardigheid of wreedheid van de wereld, zonder dat die daardoor aan begrijpelijkheid of betekenis won. Het dode dier was waarschijnlijk hoogstens een verre achternicht van haar, dacht Zelikman, geen nauwere verwantschap dan die tussen hem en Amram.

Zelikman sloeg Hanukkah op zijn schouder en rende naar de olifant toe. De Radanieten onder het baldakijn van de mand

Er ontstond een bres in de horde soldaten.

hadden zich nog niet geheel van hun rit hersteld en leken van hun stuk gebracht door het plotseling verschijnen van een gildegenoot tussen de benen van hun handelswaar. Zelfs Joseph slaakte een kreet van schrik toen Zelikman een van de met gouddraad geborduurde purperen banden greep die van de schoften van de olifant omlaag hingen en zich eraan begon op te hijsen om op de schouders van het dier te klimmen, dat zich door zijn vermomming blijkbaar niet liet afschrikken of bedriegen. Twintig jaar geleden was op de Sint-Jansmarkt in Mainz een joodse jongen de stal in geslopen waar de olifant voor de nacht was ondergebracht en had haar een rijpe peer gegeven, haar op de flank geklopt en haar vriendelijk toegesproken in de heilige taal, waarvan hij destijds geloofde dat het de moedertaal van alle olifanten en mensen was, en nu die jongen, inmiddels volwassen, zijn evenwicht verloor op haar flank en aan de zijden band naar de grond dreigde te glijden, stak Cunegunde haar slurf naar achteren, pakte hem bij het kruis van zijn broek en hield hem tegen totdat hij weer houvast vond.

'Ons aanbod met ons mee te reizen was heel eenvoudig,' zei Joseph Hirkanos toen Zelikman in de mand tuimelde; hij bekeek hem van de omgekrulde punten van zijn schoenen tot de beroete stekels van zijn gevlochten baard en zijn onhandig gedrapeerde tulband. 'Maar ik begin te geloven dat u kans ziet om alles ingewikkeld te maken.'

◆

Over de onvoorziene en ergerlijke overeenkomst tussen het leven van een beg en een slechte partij shatranj

Tijdens het Loofhuttenfeest was het gebruikelijk dat de beg van Chazarië zijn loofhut opzette op de binnenplaats van het gevangenisfort Qomr, een bult van gelige baksteen die zich verhief op de linkeroever van de modderige rivier; de oude traditie eiste dat de krijgsheer daar in de donjon zijn hoofd neerlegde. Maar bij zijn terugkeer in Atil na de zomerse strooptochten gaf de troonrover Boeljan bevel zijn soeka op het dak van de donjon op te zetten, waar hij alles goed kon overzien: het paleis van de kagan, de zee, de islamitische wijk en de steppe, en waar hij vooral betrekkelijk dicht bij de sterren was, waartussen zijn hemelvererende onbesneden voorouders nog steeds met hun onfeilbare giervalken op het hemelse wild joegen.

Toen Soekot afgelopen was, wilde hij zijn loofhut niet afbreken, en na een eenzijdig gesprek met de opperrabbijn ging hij er met zijn vrouw en drie dochters permanent wonen. De mensen begonnen te fluisteren dat de nieuwe beg uit schuldgevoel niet in de koninklijke vertrekken kon verblijven, ja, dat de geest van zijn vermoorde voorganger in zijn spookgewaden voor de bovenste ramen van de donjon was gezien. Maar de waarheid was dat Boeljan zich in de soeka op zijn gemak voelde, en in de openlucht een bevestiging ervoer van de band tussen zijn voorvaderen en het volk (dat volgens zijn eigen boek oorspronkelijk een stam van nomadische veedieven was geweest) waarvan ze het geloof hadden aangenomen. De overgrootvader van de nieuwe beg had alle nachten van zijn leven onder de blote hemel doorgebracht, op de rug van een paardje of tussen de vilten muren van een *ger*, en Boeljan koesterde dezelfde minachting voor steden en stedelingen als zijn voorouders. Hij kon niet aan binnen wonen denken zonder dat de paniek hem op het lijf sloeg .

'Het lot van de Chazaren lijkt merkwaardig sterk met dat van hun olifanten verweven,' zei hij tegen de vreemde Radanitische koopman die onder het gevlochten rieten dak in kleermakerszit op het kleed zat. Boeljan zelf zat op de ceremoniële driepoot, die van vergulde elandengeweien was gemaakt, met zijn begum, die zijn jongste kind zoogde, aan zijn zijde; de tweeling zat in de hoek met gekleurde kralen en eekhoornstaarten te spelen. De meisjes, die de heilige taal nog niet vloeiend spraken, keken op bij het woord 'olifanten'. 'We moeten u dan ook dankbaar zijn voor uw hulp bij het bij het weer op peil brengen van de kudde. Persoonlijk ben ik hier zeer verheugd om.'

'Dan is ons enig streven vervuld,' antwoordde de Radaniet na zich te hebben verontschuldigd voor zijn gebrekkige Chazaars. 'Het dier heeft trouwens een bijzonder goed karakter.'

Boeljan stak een hand uit naar het shatranjbord aan zijn

rechterzijde, pakte een van de donkergroene stenen alfils op en zette de jaden olifant weer neer. Ieder ogenblik kon een gewapende wachter hem het antwoord op zijn laatste zet komen brengen van de gevangene in het zuidelijke bastion. De stelling van de beg zag er solide uit, maar hij had een gevoel alsof zich in zijn buik een vuist om zijn ingewanden sloot, en hij wist dat er van een bepaald deel van het bord gevaar dreigde. Hij had het soort moed – het doeltreffendste soort – van iemand die alleen speelt als de overwinning zeker lijkt. Hij zag de komst van de gewapende bewaker met ongewone vrees tegemoet.

'Karakter?' zei hij, en hij wenkte de Sorbische slaaf die rillend buiten de loofhut stond te wachten. Het was een stralende dag en de lucht was zo blauw als de baard van de God van zijn overgrootvader, maar er stond een kille wind die een geur van roestig ijzer meevoerde. 'Dat is in deze stad een grote zeldzaamheid.'

De Sorb kwam met gebogen hoofd binnen, zijn tong aan de wortel voorgoed tot zwijgen gebracht door de dolk van de beg zelf, en schonk uit de dampende koperen pot de beker van de beg nog eens vol met een aftreksel van gedroogde cameliablaadjes, een zeer kostbaar, uit Khitai ingevoerd artikel waar Boeljan van afhankelijk was om in de stad zijn humeur op peil te houden. 'Wijs mij in Atil één eerlijke ziel aan, dan zijn we tenminste met ons tweeën.'

De koopman knikte alleen, met een Radanitische glimlach die helemaal geen glimlach was, maar een promesse voor een ergens in de toekomst nog te leveren exemplaar. Hij had een mager, benig gezicht met lichte ogen en leek jonger dan een doorsnee oude tapijtenkoopman; het gitzwart van zijn snor en zijn schriele baardvlechtjes stak scherp af tegen zijn blanke huid.

'Het volk zag in de dood van de vroegere olifantenkudde een slecht voorteken voor de hoeder,' ging Boeljan voort, terwijl hij de rand van zijn hoed dieper over zijn ogen trok. De hoed was een knap stukje vakwerk, ook uit Khitai: yakvilt overtrokken met azuurblauwe, met zwart en zilver geborduurde zijde, maar Boeljan, die werd gekweld door hoofdpijnen die hem overgevoelig maakten voor licht, waardeerde hem voornamelijk vanwege de brede rand. 'En dat bleek juist te zijn, wat naar mijn ervaring met voortekenen zelden het geval is.'

De Radaniet gluurde naar het bord, en hoewel hij zijn blik weer snel op Boeljan richtte, had die laatste toch even een vonkje van inzicht in de ogen van de koopman opgemerkt. Welk lot Boeljan ook op het shatranjbord wachtte, de Radaniet had het gezien.

'Natuurlijk hebben wij niets over de jongste veranderingen in uw regering gehoord,' zei hij. 'Toen we aankwamen en de hachelijke toestand vernamen, vooral hier in de Qomr, was onze zorg om u zeer groot.'

'Dat zou ik denken,' zei Boeljan, die het kind van de begum overnam zodat zij haar borst weer kon bedekken, 'en ik verheug me erop uw handelswaar te bekijken.'

Alsof dat een teken was, maakte de Radaniet aanstalten om op te staan, meer dan de meeste anderen van zijn soort bereid te tonen dat hij heel graag zaken afgehandeld wilde zien. Boeljan keek naar zijn vrouw, die een wenkbrauw optrok bij dit ongebruikelijke vertoon van haast.

'Ik heb weliswaar weinig tijd voor u,' zei Boeljan, die de zuigeling wiegde, waarbij de melk in het buikje hoorbaar klotste;

hij weerstond de verleiding de Radaniet over zijn netelige positie op het shatranjbord te raadplegen. Sinds hij zich van de driepoot van de beg meester had gemaakt, een maatregel die hij pas had genomen nadat hij tot de slotsom was gekomen dat een staatsgreep niet alleen noodzakelijk en gunstig voor hemzelf en zijn clan was, maar ook een grote kans van slagen had, waren hem slechts twijfel, geruchten en opstand ten deel gevallen. Vertroosting vond hij, afgezien van het slapen in de bladerenhut, in zijn beleid alleen shatranj te spelen met tegenstanders van wie hij zeker wist dat hij ze kon verslaan. 'Maar zó weinig nu ook weer niet.'

'Alstublieft,' zei de begum en ze stak hem een zilveren schaal toe met een rand van galopperende paardjes in gedreven goud. Het was een Varjagenvrouw met koperkleurig haar en gouden wimpers. 'Nog wat zoetigheid?'

De Radaniet liet zich weer op het kleed zakken en nam nog een honingballetje met rozen en amandelolie.

'De gevangenis zit nogal vol, stel ik me zo voor,' zei de Radaniet met een blik op het ingelegde bord.

'Tot de nok,' zei de beg. 'Dankzij die dwaasheid van laatst.'

'Ongetwijfeld was het dwaas, zelfs krankzinnig, zich achter de banier van een onervaren meisje te scharen, heer. Maar niemand kan toch verwachten dat de mohammedanen ingenomen waren met de behandeling die de Varjagen hen lieten ondergaan.'

'Dat was ook niet mijn bedoeling,' zei Boeljan. 'Dit rijk is slechts zo sterk als zijn buren zwak zijn. Mijn voorganger heeft onze mohammedanen vertroeteld en hun zoveel voorrechten gegund dat ze veel te sterk werden en de aspiraties van de kalief aanmoedigden, die zijn begerig oog op het noorden had laten vallen. Hij had de Krim zelfs bijna aan de Varjagen afgestaan. Haast al zijn regeringsbesluiten waren vergissingen, maar mijn enige vergissing was dat ik niet grondiger grote schoonmaak heb gehouden. Dat is nu rechtgezet. De gewone opstandelingen zal ik toestaan naar hun huis en wijngaard terug te keren – of wat daarvan over is. De muitende Arsiyahs wacht een gepaste behandeling.'

'Hoe treurig,' zei de Radaniet. 'Dat is werkelijk, als ik het mag zeggen, heer, een opmerkelijke hoed.'

Boeljan gaapte de Radaniet aan en vroeg zich af wat, afgezien van een waanzinnige dorst naar macht, hem toch tot de overtuiging kon hebben gebracht dat zijn bestemming niet op de open steppe lag, maar te midden van de valstrikken van de stad, dat grote shatranjbord.

'Het doet mijn oom veel verdriet dat hij niet in eigen persoon met u kan komen spreken, heer,' zei de Radaniet, 'maar men meende dat ik zo snel mogelijk zijn voetstappen moest drukken.' Hij wierp weer een blik op het bord en aarzelde. 'Er gaan geruchten over een Afrikaanse reus.'

'Een reus van een kerel,' zei Boeljan, die het nu begreep. 'Een wereldwonder. Sterk. Knap. Intelligent ook.' Hij was opgelucht nu de aard en de bedoelingen van zijn gespreksgenoot hem duidelijk werden. 'Het is lang geleden dat we Radanitische slavenhandelaren in Atil hebben gehad. We hadden vernomen dat uw volk de mensenhandel had afgezworen.'

'Onder mijn volk verspreidt nieuws zich niet snel,' zei de Radaniet verontschuldigend, en hij trok sluwe rimpeltjes in zijn ooghoeken.

'Daar kunt u zich gelukkig om prijzen.'

'Mag ik – zou het mogelijk zijn dit wonder zelf te aanschouwen?'

Voordat Boeljan antwoord kon geven, kwam er een wachter binnen; hij boog, met een uitdrukkingsloos gezicht, want hij had geen begrip van, of belangstelling voor, de woorden die hij zou gaan uitspreken.

'De gevangene verplaatst zijn vizier naar het zeventiende veld, heer, en biedt u onderdanig de gelegenheid u gewonnen te geven.'

Met een hoorbare dreun liet Boeljan, verblind, opgelost in een ondoordringbare nacht van woede, het kindje op het kleed vallen. Het meisje begon te krijsen, de moeder gilde en de tweelingzusjes keken naar hun vader alsof die zojuist spontaan vlam had gevat.

'Zijn leven is niet te koop,' zei Boeljan. Hij pakte de zuigeling op en gaf haar zonder te kijken aan zijn vrouw. 'Maar het kost u niets om toe te kijken als het in het stof wordt uitgegoten.'

Onder het raam van de donjon, op de binnenplaats, precies op de plek waar de begs vroeger hun loofhut hadden opgezet, werd de Afrikaan door zes zwaarbewapende wachters opgebracht. Zijn bovenlijf was ontbloot, zijn handen waren op zijn bloedende, gestreepte rug gebonden en hij keek strak voor zich uit.

Een tiental timmerlieden droeg gezaagde planken en dikke palen de binnenplaats op en maakten daarvan met hamers, keggen en koorden een brede tafel, waarop aan weerskanten van het midden twee grote blokken hout werden bevestigd. Vier stalknechten brachten de paarden binnen, getuigd als voor de ploeg, en toen werd de Afrikaan met gepaste tederheid verzocht op zijn rug tussen de blokken te gaan liggen die zijn tors op zijn plaats moesten houden terwijl de paarden hem uiteen trokken en zijn ledematen naar de hoeken van de binnenplaats sleepten, maar de blokken zaten zo dicht bij elkaar dat zijn geweldige rug er niet tussen paste.

'Wat een stuitend omslachtige manier om iemand te doden,' zei de Radaniet, die naast Boeljan op een terras stond dat op de binnenplaats uitzag.

'Wat?' vroeg Boeljan.

'Zijn vergrijp was ernstig, dat geef ik toe,' zei de Radaniet, 'maar toch niet zo groot als de beg zich zou betonen indien hij zo genadig was mij toe te staan – met de verzekering dat de Afrikaan aan een veeleisende, onvermurwbare meester zal worden verkocht – om hem te kopen.'

Een van de timmerlieden had een breekijzer gehaald en begon de blokken los te wrikken.

'En wat denkt u, Radaniet, dat zijn vergrijp was?'

'Opstand. Muiterij.'

'Maar hij is geen Chazaars onderdaan.' Boeljan glimlachte; hij besefte dat het kinderachtig was, maar toch vond hij het heerlijk een lid van die raadselachtige stam voor een raadsel te plaatsen. 'Dan kan hij toch niet schuldig zijn aan opstand tegen het gezag? Nee, dat is niet de reden van zijn straf.'

De Radaniet keek toe terwijl de Afrikaan nu wél tussen de blokken aan weerskanten van zijn borstkas kon worden gelegd en elk van zijn polsen en enkels strak aan de teugels van een paard werden vastgebonden. Het gezicht van de Afrikaan bleef onbewogen; hij leek al in de wereld van zijn voorouders te verkeren. Maar iets in de gang van zaken leek de Radaniet dwars te zitten en hij keek telkens naar een van de paarden, een vreemde, krombenige, ruigharige tarpan met een opvallend grote neus.

'Hij heeft u met shatranj verslagen,' zei de Radaniet met voldoening schenkende verwondering in zijn stem.

'Onzin,' zei de beg. 'Ik verlies nooit met shatranj.'

Hij wendde zich tot een van zijn wachters en stak een gehandschoende hand uit. De wachter bracht hem de bijl van de Afrikaan en de beg hief hem op.

'Wat zou u me hiervoor bieden?' vroeg hij. 'Ik ben ervan overtuigd dat u er elders een goede prijs voor kunt krijgen. Als ik de buik van de vroegere eigenaar ermee heb opengereten, krijgt u hem van me cadeau.' Hij draaide hem om en liet zijn vingers langs de runen glijden. 'Wat zou daar staan?'

'Dat kan ik u wel vertellen,' zei de Radaniet en met een vrije vertaling van het opschrift in verwonderlijk goed Chazaars gaf hij Boeljan een duw met zijn schouder en greep de bijl. Hij sprong op de balustrade van het terras en terwijl Boeljan overeind krabbelde, riep hij een woord dat als een naam klonk en uit het diepst van zijn ziel kwam: 'Hillel!'

Het ruige paard ging op zijn achterbenen staan, sloeg een roffel op de schedel van de timmerman die hem aan het rechterbeen van de Afrikaan wilde vastbinden, rukte zich los en kwam over de binnenplaats aanstormen. Vlak voordat de Radaniet sprong, keek hij even naar Boeljan en fronste zijn voorhoofd alsof hij een moeilijk besluit moest nemen. Een ogenblik eerder had Boeljan zich nog onmogelijk kunnen voorstellen dat verbazing nog groter kon zijn dan die waaraan hij al ten prooi was, maar die viel in het niet bij zijn verbijstering toen de Radaniet zijn geborduurde zijden hoed van zijn hoofd griste. Vervolgens sprong hij in het niets.

Met een grom van pijn landde hij dwars op de rug van het paard en reed op de reus af, die met zijn vrije been al naar de

Hij draaide hem om en liet zijn vingers langs de runen glijden. 'Wat zou daar staan?'

lijn schopte die nog aan zijn rechterbeen vastzat. De Radaniet reed als een dolle om de tafel heen, hakte de koorden door met de bijl en sloeg met de steel de timmerlieden opzij. Tegen de tijd dat Boeljan zich voldoende had hersteld om het bevel te geven hen tegen te houden, zat de Afrikaan al op de ongezadelde rug van een van de andere paarden, herenigd met zijn bijl, en had de Radaniet, die met zijn ene hand de zijden hoofdpijnhoed vastklemde, een piek te pakken. De ruiters cirkelden even om elkaar heen, wendden toen de paarden en reden op de poort af.

Boeljan sprong nu ook van het terras, duwde een van zijn wachters van zijn paard, denderde over de binnenplaats en riep in zijn verwarring om een salvo pijlen van de boogschutters op het dak. De manschappen die hem volgden, schrokken en hielden hun paarden in, en een van de zwartgevederde pijlen boorde zich zoevend in de schouder van Boeljan, die de Afrikaan en de Radaniet door de poort was gevolgd over de weergalmende stenen van de voorhal, waar het koel en vochtig was en de hoeven van het paard van de Afrikaan vonken sloegen die het schemerdonker verlichtten.

Toen Boeljan de Fortstraat in reed, het schelle migrainelicht van de dag in, vlak voordat hij flauwviel en van zijn paard gleed, zag hij het dikke deserteurtje dat hij had aangenomen om de dochter van zijn voorganger op te sporen en dat nu naast een muilezel meehinkelde met één voet in de stijgbeugel. Boeljan kwam overeind, greep over zijn schouder naar de pijl en trok die met een weerzinwekkend, natte, zuigende knal uit de wond, waarna hij weer op zijn knieën zeeg.

Het dikke deserteurtje werd de hele Fortstraat door gesleept voordat hij erin slaagde op zijn muilezel te klimmen en achter

zijn bentgenoten aan te gaan, joelend als een waanzinnige, terwijl de valse Radaniet zijn tulband als een lange wimpel los-
wikkelde en met de buitgemaakte hoed in de lucht zwaaide, en
de Afrikaan zijn bijl op zijn rug bond, levend en wel op weg
naar de open steppe en de oneindige, eindeloze sporen die
daaroverheen liepen.

'Wacht maar,' zei de beg van Chazarië op een klaaglijke toon
die hemzelf verraste. 'Wacht maar, ellendelingen.'

◆

HOOFDSTUK TWAALF

Over een zending vlees

'Hij is verliefd op een hoed,' zei Bloem des Levens , en ze keek door de driehoek van Amrams arm fronsend naar Zelikman.

Amram lag op een elleboog geleund op een over de houten vloer van haar hokje uitgespreide mantel bewonderend naar haar te kijken. Haar huid had een blauwachtiger tint dan de zijne, maar was net zo donker, en ze was weliswaar jonger dan Amram, maar toch niet echt jong, en bovendien was de hele wereld met al zijn zorgen jonger dan Amram – zo ervoer hij het tenminste – en terwijl hij de lijntjes bij haar mond en haar ooghoeken bestudeerde, zei hij bij zichzelf dat zijn vrouw misschien ook wel zo'n gezicht zou hebben gekregen als ze tijd van leven had gehad.

'Dat zou niet voor de eerste keer zijn,' zei Amram, die een beetje moe werd van Zelikman met zijn hoeden.

Het was in het diepst van de nacht – alweer hun derde in het bordeel van prinses Hemelse Hinde, een verbouwde wolspinnerij aan een zijsteegje van de Steurstraat, niet ver van de Kaspische kade. Sterren achter het smalle raam, cicaden in de buxus in de tuin, elders in het huis het snikken van een aangestreken rebab, aan de andere kant van de tuin een gebroken echtgenote of moeder die op straat jammerde om een dode man. De steppenwind tilde de stank op van de verbrande stad, het verbrande paardenhaar en gips, verbrande kleden, het verbrande hout van de brug die de Chazaarse stad op de linkeroever met de stad van de moslims en de buitenlanders op de rechteroever verbond, en voerde die als krijgsbuit mee.

Al twee dagen en nachten, sinds er over de brug heimelijk gefluisterde geruchten waren gekomen over de vijfhonderd muitende Arsiyahs die op de binnenplaats van de Qomr ter dood waren gebracht, zaten de voortvluchtige reisgezellen door de rellen en tegenrellen hier nu vast, bij vijftien mannelijke en vrouwelijke hoeren, onder wie Hanukkah's geliefde Sarah, de hoerenwaardin Hemelse Hinde – die een buitenechtelijke halfzuster van de kagan zou zijn – een kat, een wezel en een humeurige makaak die Fortunatus heette, een naam die bij Amram buitengewoon in de smaak viel omdat het de Latijnse versie van 'Zelikman' was.

'Hij drinkt niet,' merkte Bloem des Levens op.

Ze was een slavin die beweerde afkomstig te zijn van een rondtrekkend oosters volk dat bedreven was in de kunst van het handlezen en zich de Atsingani noemde, maar Amram twijfelde sterk aan het waarheidsgehalte van die bewering, want hij had nog nooit van de Atsingani gehoord en kon niet geloven dat een volk dat zulke mooie vrouwen voortbracht lang onopgemerkt kon blijven.

'Hij rookt liever zijn pijp.'

'Hij stoeit niet met de meisjes.'

'Nee.'

'Ook niet met de jongens.'

'Nee. Wees maar blij dat hij je nog niet heeft onthaald op een beschrijving van de verwoestingen die hij de syfilis aan de liefdesdelen heeft zien aanrichten,' zei Amram.

Ze kwam overeind om Zelikman beter te kunnen zien, die opgekruld in de vensterbank zat, de hoed in zijn handen om en om draaide en de legende van de geborduurde ranken bestudeerde alsof daarin de oplossing van een raadsel verborgen lag, en vroeg: 'Leg me dan eens uit wat er met hem aan de hand is?'

'Hij heeft berouw. Hij heeft verdriet.'

Daar dacht ze over na, maar toen schudde ze haar langwerpige hoofd en verwierp dat idee.

'Ik zou nog steeds zeggen dat hij verliefd is, maar misschien niet op een hoed.'

'Dat betwijfel ik.'

'Heb jij verdriet? Heb jij berouw?'

'Dat ben ik verleerd,' zei Amram. Dat was ver bezijden de waarheid, maar ook weer niet helemaal gelogen. In de achtertuin, te midden van de buxusboompjes, de braamstruiken en de halfverwilderde druivenranken, getuigden de versplinterde, ingedeukte resten van een ossenwagen, een overblijfsel uit de tijd dat hier Georgische wolhandelaren hadden gewoond, van de woede waarmee Amram en de Moederschender het bericht over de afgeslachte mannen in de Qomr hadden ontvangen. Maar dat was twee dagen geleden. Hij wilde nu niet meer aan de vermoorde manschappen denken, of aan die knaap met zijn grote mond, dat meisje dat hun generaal was geweest. Hij had Filaq dus niet kunnen beschermen, hij had zijn woord aan de arme dode mahout met zijn ene oog, zijn oeroude zwaard en zijn altijd toepasselijke grijns niet gestand gedaan. Amram kampte al zijn hele volwassen leven met het besef dat hij gefaald had, al sinds de dag dat zijn dochter met een mand wasgoed naar het riet langs de Birbir was gegaan en nooit was teruggekeerd. Dat was Dinahs lot. En wat Filaq overkwam was Filaqs lot, en falen was het zijne; dat falen en zijn moeizaam bevochten kennis van de onveranderlijkheid van het Lot zelf. En wat maakte het ook uit. Hij streek het haar uit het gezicht van Bloem des Levens. 'Maar misschien zal ik wel verdrietig zijn als ik uit jouw armen weg moet.'

'O ho. Mooi hoor. Maar je kunt niet weg.'

'Niet nu er bij elke poort een compagnie staat.'

'Waar zou je heen gaan als je weg kon?'

Daar dacht Amram over na, en hij voelde een naad openkieren waarachter zich een verschrikkelijke leegte bevond die zei: nu kun je nergens meer naartoe zwerven, er is geen plek op aarde waar je nog niet naar het fantoom van je huis en familie hebt gezocht.

'Als je zo'n hoed hebt maakt het toch niet uit waar je heen gaat?' zei Amram, die zelf schrok van zijn holle, geforceerd vrolijke toon. 'Nietwaar, Zelikman?' Zelfs al was hij niet op de vlucht voor de beg geweest en al hadden door de straten geen krakende karren af en aan gereden met de lijken van opstandelingen en miliciens, dan nog zou Amram tevreden zijn geweest als hij hier een week of een maand kon blijven, bij Bloem des Levens, die zijn wonden had verzorgd, in al zijn behoeften had voorzien en wilde balladen in vreemde toonsoorten voor hem had gezongen, en dat alles tegen een schappelijke vergoeding. 'Geef die jongen een mooie hoed en een goed paard en hij slaapt nog op een rooster boven het keukenvuur van de Vijand zelf, niet, vriend?'

Zelikman zweeg lange tijd, zo lang dat Amram weer languit op het kleed met de gestileerde patronen was gaan liggen met zijn hoofd in de schoot van Bloem des Levens, zijn ogen had gesloten en al bijna was vergeten dat hij iets had gevraagd.

Zelikman gooide de hoed op de grond alsof een ponjaard in zijn vlucht ook de bol van dit exemplaar had doorboord.

'Het is maar een hoed,' zei hij ten slotte met een stem die verloren leek in een sombere nevel die net zo kil en ondoordringbaar was als die in zijn vaderland.

Amram ging zitten, geschrokken, berustend en geërgerd tegelijk, want hij wist dat er een aangewezen koers was die ze nu moesten volgen, al was het maar om Zelikman eens en voor al uit zijn lijden te verlossen.

'Goed,' zei hij, 'goed, wees vervloekt, Zelikman, we gaan wel achter haar aan.'

Op dat moment klonk er gebonk op de zware eikenhouten deur beneden en ontstond er opschudding onder de meisjes en jongens op de eerste verdieping, waar zaken werden gedaan, en toen hoorden ze de verongelijkte stem van de hoerenwaardin. Amram greep naar zijn zwaard. Zijn reisgezel liet zich uit de vensterbank glijden en pakte het oude kromzwaard dat hij van Hanukkah had gekregen, want hij had Lancet onder de hoede van de Radanieten in de herberg achtergelaten toen hij er vier dagen daarvoor op uit was gegaan om Amram vrij te kopen. Amram overwoog een sprong uit het raam, de tuin in, maar uiteindelijk won zijn nieuwsgierigheid het en hij sloop de trap af naar de lagergelegen verdieping.

Daar stonden twee soldaten in volle wapenrusting in het voorportaal, die samen met de waardin beslisten over het lot van een slank, bleek meisje in een dunne neteldoekse tuniek,

Daar stonden twee soldaten in volle wapenrusting in het voorportaal.

een en al elleboog en knie, het kortgeknipte haar rood als van een voskleurig paard. Ze stond met gebogen rug en hangend hoofd; haar polsen waren met een zijden koord gebonden. Ze keek naar de grond terwijl er werd onderhandeld over de voorwaarden voor haar indiensttreding in het Huis van prinses Hemelse Hinde aan de Steurstraat, met een percentage dat iedere maand in gouden dirhams moest worden uitgekeerd aan een zekere heer wiens naam niet genoemd behoefde te worden en die overigens voorspoedig was hersteld van zijn verwonding, waarvan de ernst door de geruchtenmachine zwaar was overdreven.

Zodra de deur achter de soldaten weer was vergrendeld, nadat de hoerenwaardin hen had aangemoedigd terug te komen als hun dienst erop zat om kosteloos een uur door te brengen in het allerbeste gezelschap dat haar armzalige huis te bieden had, wrong Zelikman zich langs Amram en snelde op het meisje toe. Hij bleef een ogenblik aarzelend voor haar staan, nam haar van hoofd tot voeten op, bezag haar doffe blik en haar gebroken houding, en hoewel zijn aarzeling niet onverwacht was, lag daarin zo weinig van zijn gebruikelijke opgewekte afstandelijkheid en zoveel oneindig medelijden en spijt dat Amram zijn blik moest afwenden. Toen sneed Zelikman met het mes het zijden koord door, legde zijn arm om haar schouders, negeerde de afwerende schrikbeweging die het meisje met haar armen maakte en vroeg of ze zich in staat voelde om twee trappen op te lopen naar een rustige kamer, waar ze alleen of in gezelschap kon verblijven, wat ze maar wilde, nadat hij haar had behandeld.

Aanvankelijk gaf ze geen antwoord en leek ze hem niet te hebben verstaan of begrepen, en even vreesde Amram dat haar ziel onherstelbaar was beschadigd. Maar toen hief ze haar hoofd, met op haar wangen de gezwollen afdruk van een mannenhand, en zag ze Zelikman en Amram en de aap en de hoeren allemaal naar haar staren alsof ze door een wonder van een wolk was gevallen, wat volgens allen aan een aantal verschillende schrijnende oorzaken kon worden toegeschreven. Ze greep Zelikmans beschermende arm alsof ze die weg wilde duwen, maar bedacht zich toen, pakte zijn hand en knikte.

'Help me weer op de been,' zei ze, 'ik moet een man doden.'

Hij leidde haar bij de hand naar boven, gevolgd door Amram en Bloem des Levens, die een gedeukt blikken dienblad met een bekken heet water en aan repen gesneden beddenlakens droeg. Amram spreidde de wijde mantel uit over de brits van de hoer en daar legden ze het meisje op neer. Zelikman zei voorzichtig dat haar tuniek voor de behandeling misschien uit moest en het meisje Filaq stootte een stroom harde Chazaarse woorden uit met de strekking dat hij verdomme moest doen wat nodig was.

Haar huid vertoonde een rooster van schrammen en felle striemen, ze was gekneusd en gestreept. De strepen bruin geronnen bloed op haar bleke dijen ontlokten Bloem des Levens een zacht gejammer van medelijden. Zeligman wrong een doekje boven het bekken uit en waste, voor zover zoiets mogelijk was, de sporen van haar ontmaagding en het vuil en roet van de Qomr weg. Hij reinigde haar voeten, haar knieën, haar hals, werkte snel, zwijgend en met niet meer tederheid dan hij een onbekende of een paard zou hebben betoond, wat niet wilde zeggen dat er in het geheel geen tederheid was, verre van dat; maar hij leek als vanzelf in zijn karakteristieke rol van koele geneesheer terug te vallen toen hij de tengere gestalte en de verwondingen van het meisje zag.

'Dit prikt even,' zei hij nadat hij zijn vingers had ingesmeerd met een zalf die hij had bereid uit vet, honing en de
schaarse kruiden en reukoliën die het bordeel in voorraad had.

'Goed zo,' zei ze.

Toen hij klaar was, wikkelde hij haar in een deken en voerde haar uit een geschilferde stenen kom, en voordat ze de helft
van de dunne soep met erwten en schapenvlees op had, was ze
al zittend in slaap gevallen. De volgende ochtend werd ze wakker, at gestaag en zwijgend een halfuur achter elkaar door,
veegde haar mond af, vroeg om een broek en een tuniek en verklaarde dat ze genezen was en alleen nog maar een zwaard
nodig had.

'Dat doet ons genoegen,' zei Amram, 'maar Zelikman en ik
hebben het er eens over gehad, en we zijn tot de slotsom gekomen dat je Boeljan in zijn huidige staat onmogelijk kunt
doden. Hij is te machtig, te sterk, te goed beschermd en te goed
bewapend. Ik begrijp dat je wraak wilt, Filaq. Dat is een drang
die ik ken en hoogacht. Maar die moet je niet volgen. Die moet
je voor later bewaren. Ja, ik zie dat je op het punt staat je grote
mond open te doen en het woord "lafaard" uit te spreken, dus
ik moet je waarschuwen: als je tot zo'n onjuiste analyse van
mijn karakter komt, en van dat van mijn vriend, die weliswaar
de neiging heeft te piekeren en aan zichzelf te twijfelen, maar
de moedigste man is die ik ken, afgezien van mijzelf, zal ik me
onverwijld genoopt zien je een schop onder je smalle roze
kontje te geven.'

Ze sloeg haar armen om zichzelf heen en liep naar het smalle raam, waarbij haar leren broekspijpen tegen elkaar fluister-
den. Ze keek naar de overwoekerde tuin, de roestrode bladeren

van de wingerd, de staalblauwe lucht, de rook van de branden die niet wilden doven. Toen wendde ze zich weer tot de reisgezellen.

'We moeten dus een manier vinden om Boeljans staat te veranderen,' zei ze.

'Dat hadden we inderdaad in gedachten,' zei Amram.

'We willen niet beweren dat we dat dubbele koningschap van jullie begrijpen,' zei Zelikman, 'maar het lijkt ons wel onnodig ingewikkeld.'

'Mij lijkt het ronduit stompzinnig,' zei Amram. 'Al kan ik me natuurlijk vergissen. Voor zover ik het begrijp heerst de beg over het land, het leger en de schatkist, maar heerst de kagan over de beg.'

'De kagan spreekt zelden,' zei het meisje, 'maar als hij spreekt, is zijn woord heilig. Onweerlegbaar. Absoluut.'

'Dan is dát de man die we moeten spreken,' zei Amram.

◆

HOOFDSTUK DERTIEN

Over het zwemmen naar de bibliotheek
in het hart van de wereld

Over een rivier waarop de ijslaag zo dik was als de lengte van een erin gestoken speer, langs een laan met vlammende toortsen, in een koninklijke, door rendieren getrokken en met mica en elektrum versierde slee, begeleid door het geschal van ramshoorns, het gerinkel van de belletjes van het rendiertuig en het schrapen van ijzeren glijders over het ijs, als tedere smokkelwaar aan de zijde van haar vader verborgen in de imposante stank van een berenvel, met zijn warmte en gewicht tegen haar aan en de volle maan die als een schitterende dirham tegen de hemel geslagen stond: zo was ze de laatste keer overgestoken naar het eiland van de kagan en het paleis dat hij in vriendenloze praal bewoonde. Nu stak ze in de volledige duisternis van het laatste uur van de nacht zwemmend de rivier over, naakt en ijskoud, alleen voor de verdrinkingsdood behoed door het beschermende gezelschap van struikridders wier lot het ooit zou zijn te worden opgehangen. Ingesmeerd met talg, wapens op de rug gebonden, kleren in een met bitumen geprepareerde blaas om de nek, hijgend, naar adem happend. Het was herfst, dus de rivier was nog snel en de stroom vlijmde kouder dan ijs. Toen ze zich aan de Chazaarse kant het water in liet glijden, voelde ze paniek opkomen; ijzeren banden en dood gewicht aan haar borst en enkels, en toen de gevoelloosheid die als gif in haar spieren sloop, een dodelijke berusting. En toen Zelikmans hand die haar vastgreep, aan haar pols, haar schouder, en haar voorttrok, zijn stem die haar tegelijk bars en teder toesnauwde: *Vooruit, zwemmen, lui kreng.*

Op de zuidpunt van het eiland, dat de vorm van de letter Kof had, spoelden ze spattend aan op een stenen kade, waar ze stram en onhandig als ongelede ijzeren figuren op klauterden. Ze deden hun bepakking af en rolden het gras in de schaduw van het heilige laurierbos in waar iedere pasgekroonde kagan, naar ze van haar vader had vernomen, op zijn knieën werd gedwongen en met zijn nek in een zijden strop de dag en het uur te horen kreeg waarop hij hier weer heen zou worden gebracht om door het aantrekken van de knoop naar het hiernamaals van de koningen te worden gezonden.

De kou zoemde door haar heen; ze kleedde zich haastig aan en ging Amram en Zelikman voor door het bos en langs de steile rotswand naar de zuidelijke of Bijenpoort. Een pauw krijste. De rivier grinnikte en gonsde. Op de rechteroever zagen ze het helse oranje van de brandende huizen en tegen die gloed tekende zich een moskee af als een slapende zwarte kat. Achter de rotswand verhief zich een brede stenen trap, die de Bijentrap werd genoemd, en eenmaal boven stonden ze voor de zware houten poort die in een boog in de ronde zuidelijke muur zat, een reusachtig Byzantijns ontwerp dat ondoordringbaarheid beloofde, maar in al die lange vredesjaren nimmer door oorlog of oorlogstuig op de proef was gesteld.

In de massieve eikenhouten poort was een manshoog klin-
ket uitgezaagd, waardoor de wachters die de poort moesten
bewaken naar buiten kwamen om op wacht te gaan staan. Het
waren zes forse Kolchische gardesoldaten in zwarte wapenrusting, die om het deurtje in de poort heen stonden. Ze stampten
met hun voeten en stonden met open ogen te slapen – stugge
bergbewoners wier leven gewijd was aan stilte en eenzaamheid. In gedachten schetste ze het pad dat ze zich zou banen als
het moest, als het kon, als ze haar de kans gaven, met haar
armoedige geleende zwaard, hoe ze ermee zou zwaaien, rond-
zwiepen, uitvallen, een zigzaggend pad als de veters van een
soldatenlaars. Maar haar leven en haar handelingen werden al
sinds het eerste uur dat ze zelf kon denken niet door haarzelf
bepaald, dus liet ze het zwaard in de schede en keek nurks toe
terwijl Zelikman, die van top tot teen in het zwart was gehuld,
de Kolchiërs een voor een besloop en ze door de neusgaten een
van zijn toverdranken toediende. Ze zegen op hun knieën, met
een hoorbare zucht, alsof ze behekst waren en de ban nu werd
verbroken. Ze volgde Amram toen die uit de schaduw trad en
keek ongeduldig toe hoe hij met de rand van de Moederschender het deurtje in de poort openwrikte.

Heiligschennis had ze altijd een paradoxaal misdrijf gevonden, want het scheen haar toe dat een god die zich door men-
senwoorden liet verstoren per definitie het vereren niet waard
was, maar toch was het een verschrikkelijke blasfemie om door
de Bijenpoort de Bijenlaan te betreden, en misschien kwam het
door de kou van de rivier die nog in haar botten zat, maar bij
de eerste stappen huiverde ze.

Bij de volgende poort werden ze verrast door een reusachtige Turkmeen die met een tijgervel aan de poten om zijn schou-

ders geknoopt uit het niets opdook en met een stalen lans naar Amram uitviel. De punt doorboorde de voering van Amrams bambakion, ketste op de maliënkolder die hij eronder droeg en sloeg daar een gedempte vonk uit, als een lamp die opflakkert achter een gordijn. Zij stortte zich op de rug van de Turkmeen, en met de ranzige speklucht van zijn geoliede haar in haar neusgaten beet ze zijn oor af – een zoute abrikoos tussen haar tanden. Ze had haar duimen al in zijn oogkassen, maar voordat ze die uitbarsting van heet vocht konden meemaken kwam Zelikman met zijn dampende doek en zakte de man op de grond ineen als een hoopje zand uit een zandloper.

Zelikman schudde zijn hoofd en keek verwijtend, en bij wijze van antwoord spoog ze het stuk oor aan zijn voeten op de grond en liep door, waarbij ze onder het voortgaan een geruis in haar hoofd gewaarwerd als een aanzwellend, koortsachtig geneurie, en haar enkels knikten. Ze merkte dat de groene tentakels van de slaapdrank oprukten naar de poorten van haar bewustzijn. Ze maakte slagzij en dreunde met haar schouder tegen een stenen zuil. Amram ving haar op en zette haar weer overeind, en Zelikman liet zijn koude vingers tegen haar slapen rusten totdat ze weer bijkwam. Maar de verdere tocht naar de vertrekken van de kagan leek eindeloos, als de labyrintische langdradigheid van een droom; achteraf kon ze zich er niets meer van herinneren en begreep ze ook niet meer hoe ze er met haar nog steeds verwarde gedachten en de ijzersmaak van bloed in haar mond toch in was geslaagd de dieven in het donker zo snel en nauwkeurig naar het hart van het hart van haar wereld te leiden, al was ze hier als klein meisje voor het laatst geweest.

Alles was precies zoals ze het zich herinnerde, zoals in haar droom, in iedere droom: een ronde stenen toren op een minia-tuureilandje van steen, omringd door een glanzend zwarte slotgracht en omzoomd door laurierbomen, midden op een enorme, met cyclopische stapstenen geplaveide binnenplaats, precies in het midden van de stad Atil en het paleis van de kagan. Indrukwekkend en verlaten, een grafsteen, een dolmen, de horst van een hoogverheven roofvogel. Bovenop vier met hout beschoeide loggia's, elk versierd met het totemdier van de windrichting waarin ze wezen (raaf, duif, bij, reiger); onderaan een smalle poort. Daar stonden weer vier Kolchiërs op wacht en daar ontdekte Zelikman dat zijn slaapelixer op was, zodat de reisgezellen zich genoodzaakt zagen, nog steeds met de razendmakende terughoudendheid die hun als haar 'voogden' gepast leek nu ze als meisje was ontmaskerd – al was het dan een meisje dat in een vlaag van ergernis in staat was iemands oor af te bijten – zich toegang te verschaffen met behulp van de steel van de bijl, het vlakke zwaard en eenvoudig doch indruk-wekkend slagwerk van vuisten en laarzen.

Enige beroering was dan ook onvermijdelijk, en tegen de tijd dat ze, gelijk de mier van Daedalus de kronkelwegen in de schelp, de spiraal van de wenteltrap naar het hoogste vertrek van de stad Atil hadden beklommen, was de kagan al opge-staan en stond hij hen met een strak lachje op te wachten, alsof het hele avontuur, vanaf de ontmoeting met de reisgezellen in de karavanserai tot dit ogenblik toe, al die slachtingen, al die strijd, zo was beschikt of althans voorzien door de grote dikke man met het kortgeknipte haar, de pokdalige, met stoppels bedekte wangen en die ogen, zo droef, teder, meelijwekkend en vol medelijden dat ze er niet in kon kijken.

'Het muisje,' zei hij.

Enige beroering was dan ook onvermijdelijk.

Er welde verdriet op in haar keel en borst, alsof de ijzeren banden van de rivier eindelijk knapten. De kagan hief zijn geopende handen, als wilde hij voelen of het regende. Hij wachtte op haar. En hoewel hij al dertig jaar door niemand was aangeraakt, niet eens aangekeken, liep ze naar hem toe, en na een korte aarzeling overtrad hij alle wetten: hij sloeg schutterig zijn armen om haar heen en noemde haar fluisterend bij de naam die van alle mannen en vrouwen op de hele wereld alleen hij en haar broer nog kenden.

Het duurde een tijd, langer dan ze zich konden veroorloven, voordat ze haar heftige snikken kon bedwingen, haar zwaard trok en de punt tegen een van de overvloedige plooien van zijn keel legde.

'Of Boeljan sterft, óf u,' deelde ze hem mee.

'Doe jezelf niet zo tekort, muisje,' zei de kagan, die niet naar het zwaard, maar in haar ogen keek. 'Waarom zou je met één van beiden genoegen nemen?'

'Kind,' zei Amram, 'laat je zwaard zakken.'

Ze bracht de punt van het wapen naar de buik van de kagan en stak het toen weer in de schede, die over haar schouder hing. Zelikman stond met zijn rug naar hen toe gretig naar een brede kast vol folianten en perkamentrollen te kijken; zijn vingers trilden alsof hij ernaar hunkerde ze aan te raken. Hij had kennelijk geen bijzondere belangstelling voor een persoonlijke kennismaking met een van de drie vorsten die door de keizer van Byzantium als zijn gelijken werden erkend, naast de keizer der Franken en de kalief van Bagdad; hij leek hem niet eens op te merken.

'We zijn ten dode opgeschreven,' zei ze, 'vogelvrij.'

'Ik weet het,' zei de kagan.

'Ik heb alles verloren.'

'Ik weet het, muisje.'

Hij maakte een gebaar naar de enige zitplaats in het vertrek, een lage rustbank met een gevlekte paardenvacht erop. Ze schudde haar hoofd.

'Deze twee...'

'Hebben niets te verliezen?' Hij zei het in de heilige taal. 'Amram, nietwaar? Een Abessijn. Dat doet me genoegen. Ik heb nog nooit een Afrikaan in levenden lijve aanschouwd.' Amram bracht zijn hand naar zijn voorhoofd. 'Ik heb begrepen dat ge in het leger van mijn medekeizer hebt gediend. Ik heb heel wat gehoord over uw bijl. Zeg eens, hebt ge die ooit gebruikt om de keel van een van de vorsten dezer wereld te scheren?'

Amram schudde zijn grijze hoofd. 'Alleen een heel onbelangrijke,' zei hij, 'een enkele khan van het tweede garnituur.'

Die mededeling leek de kagan veel genoegen te doen. Hij wendde zich tot Zelikman en sprak een zorgvuldig zinnetje in een vreemde taal. Zelikman antwoordde in dezelfde taal, luchtig, en draaide zich toen abrupt om, zodat zijn haar als een geel gordijn om zijn hoofd zwierde. Even keek hij met knipperende ogen naar de kagan. Toen nam hij de mooie geborduurde hoed af en maakte een diepe buiging.

De kagan onderhield zich even met hem in de taal van Zelikmans onvoorstelbare vaderland, een ondoordringbaar dialect waarvan ze de indruk kreeg dat het tegelijkertijd met de voor- en achterkant van de tong werd uitgesproken, met lippen die op hetzelfde moment getuit en wijd open waren. Toen liep hij naar de kast, nam er een groot velijnen boek uit en overhandigde het aan Zelikman.

'*De Urines* van Alexander Trallianus!' zei Zelikman. 'Maar dat was verloren gegaan.'

'Niet helemaal.'

Zelikman nam het boek eerbiedig aan, zette het op een lessenaar en begon erin te bladeren, en ze begreep dat hij voorlopig niet meer aanspreekbaar was.

'U weet dus heel veel,' zei Amram. 'Weet u ook wat dit meisje wil en hoe ze dat kan bereiken?'

'Dat hangt ervan af. Wil jij de beg worden, muisje?'

Ze schudde haar hoofd. 'Ik weet wel dat dat niet zou gaan,' zei ze, 'dus diep in mijn hart heb ik daar nooit naar verlangd. Niet voor mezelf. Wel voor mijn broer. Voor Alp. En ik wil nog steeds Boeljan van de driepoot verjagen en die voor Alp vasthouden totdat we het losgeld voor hem kunnen betalen of hem bevrijden. Daarna regelen we de kwestie met de Varjagen wel. En misschien kan een vrouw geen beg worden, maar voor zover ik weet is er geen wet die haar belet tarkhan te worden. Ik heb al bewezen dat ik soldaten ten strijde kan leiden.'

'Je broer,' zei de kagan. 'Alp. Daar weet ik helaas ook iets over.'

'Hij is niet dood,' zei ze. 'Nee. Dat kan niet.'

'De Varjagen hebben in Derbent een vreemde, besmettelijke ziekte opgelopen,' zei de kagan. 'Of misschien was die ziekte een oorlogsbuit die ze op weg naar het zuiden hebben meegenomen. Misschien hebben ze haar zelfs al uit het noorden meegebracht, dat weet ik niet. Er zijn ziektes die zich in het lichaam verborgen houden als klissen in de plooien van een mantel, dagen, weken, zelfs maandenlang, voordat ze tot bloei komen.'

Filaq herinnerde zich hoe haar broer eruitzag op de zomerdag dat ze hem voor het laatst had gezien – lang en slungelig – en hoe liefdevol hij de valk op zijn arm toesprak toen hij tijdens de zomerse strooptocht met de familie te midden van de platanen, de cicaden en de wild opschietende wingerd in de heuvels uitreed voor de jacht. Ze wendde haar hoofd af opdat ze haar tranen niet zouden zien, en zo viel haar oog op de bewerkte, verguld houten lessenaar met de enorme, geïllumineerde Ibn Khordadbeh waar ze als kind zo verrukt van was, met al die kaarten, uitzinnige anatomische schetsen en onbeholpen beschrijvingen van mirakelen en wonderbare verschijnselen – bladzijden vol steden om te bezoeken, volkeren om mee op te trekken, hele levens om voor jezelf uit te denken, daarginds, buiten de kantlijnen van je eigen bestaan, langs alle wegen, in alle koninkrijken.

'Ik zal je helpen,' zei de kagan, 'omdat ik op je vader gesteld was, althans tot op zekere hoogte, en des te meer omdat ik altijd op jou gesteld ben geweest. Voor je broer kan ik niets meer doen en zijn plaats op de driepoot kan ik hem al helemaal niet meer verschaffen. Maar ik kan Boeljan wel bevelen af te treden. Ik ben de gevangene van mijn titel. Maar dat is hij ook, al is hij tot nu toe nog niet gedwongen geweest dat onder ogen te zien.'

'Hij heeft de hele familie van dit meisje uitgeroeid,' zei Amram. 'Hij heeft vijfhonderd keursoldaten van het kaganaat laten executeren – in koelen bloede neergemaaid. Maar dat hoef ik u ongetwijfeld niet te vertellen.'

'U hebt gelijk,' zei de kagan.

'Het lijkt mij dus waarschijnlijk dat hij zal doen wat hem het beste uitkomt,' zei de Afrikaan, 'ongeacht uw bevelen.'

'De beg mag de kagan niet ongehoorzaam zijn.'

'Dat is zo,' zei ze tegen Amram. 'We hebben weliswaar soms revoluties, staatsgrepen en burgeroorlogen meegemaakt. Maar dát nog nooit.'

'Hij heeft uw witte vlag genegeerd,' zei Zelikman.

'Dat is waar, maar toch geloof ik dat hij zal aftreden,' zei de kagan. 'Het leven in het paleis bevalt Boeljan niet zo goed als hij had verwacht. Maar eerst moet ik ertoe worden overgehaald hem te bevélen af te treden.'

'En hoe bent u daartoe te bewegen?' vroeg Zelikman.

'Heel eenvoudig, eigenlijk,' antwoordde de kagan. 'Ik wil gewoon dat jullie me doden.'

Daarop viel er een stilte waarin de reisgezellen woordeloos overlegden en over hun kin streken terwijl zij toekeek, onrustig door de ronde kamer ijsbeerde en ernaar verlangde in het boek te kijken waar ze zo van had gehouden, maar dat niet durfde omdat ze vreesde zich daarna nooit meer te kunnen verzoenen met het armzalige bestaan dat het lot voor haar had beschikt.

'Dat kan,' zei Amram tegen de kagan.

'Kan dat?' vroeg Zelikman, niet zozeer geschrokken als wel belangstellend bij het vernemen van die stellige verzekering.

'Natuurlijk. Ik heb Boeljan op het shatranjbord al eens verslagen met dat offer. Ik zou het onuitstaanbaar vinden zo'n uitgelezen kans op een herhaling te moeten laten lopen.'

◆

HOOFDSTUK VEERTIEN

Over de droeve plicht van de soldaat de rommel des konings op te ruimen

Na haastig overleg wekten de wachters, slaperig, schaapachtig en qua oren niet voltallig, een oude Wendische dienaar, die ze de toren in zonden om het ergste te bevestigen. De Wend, die niet kon zien of spreken, kende de juiste geuren en lichamelijke uitingen van zijn heer en de cirkelvormige echo's van diens vertrekken zo goed dat hij daar precies kon horen welke boeken niet op hun plaats stonden, en zijn ervaren neus ontwaarde bij zijn binnenkomst onmiddellijk de indringende, brakke geur van rivierwater en een zwak maar duidelijk waarneembaar sliertje ranzige rozenolie in de lucht. Hij sloeg zijn handen voor zijn gezicht, liet zich naast de rustbank met de gevlekte tarpanhuid op de grond zakken en weende geluidloos. Hij was als lijfeigene in een familie van slaven geboren en had zijn hele leven niets dan horigheid gekend, maar in dat opzicht achtte hij zichzelf niet minder dan de overige mensheid, met inbegrip van zijn meester, die de slaaf was van een veeleisende God en het daarin minder met zijn eigenaar had getroffen dan de Wend zelf.

Na een poosje stond de Wend op, veegde met zijn mouw zijn gezicht af en bestudeerde de invalshoeken, waarschijnlijkheden en vereisten van het protocol in een dergelijk geval. Hij sleepte een Tabriztapijt over de grond naar de rustbank en wierp het met een gemompelde verontschuldiging over de roerloze, naar bittere affodil geurende massa die de bank met zijn gewicht belastte. Hij stopte het ene uiteinde van het kleed aan zijn kant onder het lichaam, waarbij hij er zorg voor droeg dat zelfs de puntjes van zijn nagels de huid niet raakten om te voorkomen dat hij tot in de mistige eeuwigheid van zijn Wendische voorvaderen door de verstoorde, wrekende schim van zijn meester zou worden achtervolgd, tilde de zware vracht naar de grond en rolde de dode keizer in het Tabriztapijt, waarbij hij aan het hoofd- en voeteneinde een lange strook vrij liet om het dragen te vergemakkelijken.

Terwijl de soldaten het lichaam moeizaam de wenteltrap af sjouwden, aanvaardde de Wend met een leren zak onder zijn arm de lange, trage beklimming van het torentje. Toen hij boven was, in de wind, haalde hij een driehoekige witte vlag met een rood runenteken tevoorschijn, ontvouwde die en hees hem aan de standaard onder de menoravlag van het keizerrijk, en zo, tegen een felgrijze lucht waaruit de eerste dikke sneeuwvlokken rondwarrelden, werd het nieuws wereldkundig gemaakt dat Zachariah, de kagan van de Chazaren, het slachtoffer was geworden van een laaghartige moordaanslag.

De trouwe Wend was ook degene die eerder die nacht door het dringende bellen van zijn meester was gewekt en uit de vertrekken in de toren drie verzegelde keizerlijke bevelen naar het verblijf van de boodschappers had gebracht, die ze terstond aan de beg, de kender en de opperrabbijn van Atil ter hand moesten stellen. De koeriers die waren uitgestuurd naar het huis van de opperrabbijn en de hoofdkazerne waar de kender was gelegerd, vervulden hun opdracht en keerden terug naar hun kwartier in het paleis, maar de taak van de boodschapper die Boeljan het bevel moest brengen onmiddellijk af te treden was zwaarder; toen hij Boeljan eindelijk had gevonden, op de lage, rode heuvel bij de zuidpunt van Atil, die Qizl werd genoemd, was het al bijna het derde uur na zonsopgang en had Boeljan inmiddels andere zorgen aan zijn hoofd.

Bij het ochtendgrauwen, rond de tijd dat het lichaam van de kagan – dat al tekenen van een beweeglijkheid begon te vertonen die bepaald niet des lijks zijn – door een ongelijkvormig drietal naar een koelhuis werd gedragen bij de zelden gebruikte paleispoort waardoor de doden en hun dragers van oudsher naar buiten gingen, kreeg de wachter op de top van de Qizl aan de flakkerend grijze zuidelijke horizon een handvol zwarte zaadjes in het oog. Eerst lagen ze bijna roerloos als distelpluis op het water, maar toen ze dichterbij kwamen, trokken ze lange, trage voren door de golven. Ze kregen vleugels en brutale nekken die ze gulzig naar Atil leken uit te strekken, als palingen in een getijpoel twistend om een hapje afval hoger op de rots. De zeilen van de schepen bolden op en zwenkten aan de mast door de zigzaggende koers tegen de noordenwind in. Tegen het derde uur, toen de ademloze koerier de beg eindelijk gevonden had en hem het verzegelde bevel overhandigde, rondde een twintigtal Vikingschepen de landtong waar Boeljan in de sneeuwbui op de heuveltop stond af te wachten of – zoals alle mensen hoopten die op de Qizl langs de rivier op de stadsmuren stonden te kijken – de Noormannen van plan waren door te varen. Het doodsbericht van de kagan was na het hijsen van de runenvlag als een lopend vuurtje door de stad gegaan, op gepaste wijze vergezeld door een hele hofhouding geruchten met de strekking dat de Varjagen, de moslims of de beg zelf er schuld aan hadden.

Boeljan wist niet goed wat hijzelf nu precies hoopte toen hij het zegel van het laatste bevel van Zachariah verbrak. Hij bestudeerde het geschrift zonder veel belangstelling of ontsteltenis te tonen. Hij wendde zich naar de javshigar die naast hem stond, de kapitein van een regiment boogschutters, gehuld in een geschubd pantser.

'Sein naar de schepen,' gelastte hij de javshigar, en hij beduidde een schrijver hem een wastablet en een stift te brengen. 'Ik wil met Ragnar onderhandelen, als die nog steeds het bevel voert.' Met de stift, en met een agitatie die zijn kalme gezicht weersprak, grifte hij een reeks runen in de was van het tablet. 'En anders met degene die die gele honden nu in toom houdt.' Hij gaf het tablet terug aan de schrijver en beval: 'Breng dit naar de begum.' Toen besteeg hij zijn paard en galoppeerde de helling af naar de Kaspische kade.

Terwijl het restant van die reusachtige vloot – die rond midzomer uit de viks in het noorden was uitgevaren om zich met Boeljans dringende instemming tegoed te doen aan de mohammedaanse steden in het zuiden van Chazarië – terugkeerde naar de monding van de rivier die de Noormannen de Wolga noemden, waren die laatsten verrijkt en met glorie beladen, al waren hun gelederen uitgedund door de strijd, door besmettelijke ziekten en ook door een ontstellende drankzucht, en legde het Chazaarse leger de laatste mijlen af van de lange thuismars naar Atil. Na drie steden op de Krim te hebben

Hij wendde zich naar de javshigar die naast hem stond, de kapitein van
een regiment boogschutters, gehuld in een geschubd pantser.

onderworpen en de bevolking weer onder de menoravlag te hebben gebracht, zag het Chazaarse leger zich nu genoodzaakt de campagne op de opstandige Krim af te breken op last van Boeljan, die een dringend beroep op hen deed: een mohammedaanse opstand, steden in het noorden die als jongedames aan de voeten vielen van een knaap die als generaal aan het hoofd stond van een leger boeren. Hoewel er sindsdien berichten van verkenners waren binnengekomen dat de opstand was ingezakt, was de tarkhan van het Krimleger, die nu in oostelijke richting te paard de helling afdaalde over de weg naar de stad, toch verbaasd dat ieder spoor van onrust ontbrak. Rond Atil lag slechts een grote, stille vlakte met hier en daar een zilver opglanzend moeras en wat groene struiken, waar nergens mannen of paarden te bekennen waren. Aan de Chazaarse kant zag hij wel wat rookpluimen, waarschijnlijk nog van het oproer dat zijn verkenners hadden gemeld, maar niet veel en ook niet groot. Tenzij de rust in Atil toe te schrijven was aan de opstandelingen die de stad onder controle hadden, viel hier waarschijnlijk voor zijn manschappen niet veel te doen en was de overhaaste, honderden mijlen lange thuismars door wouden, woestijnen en steppen een vruchteloze, aan beide kanten zinloze onderneming geweest. De sneeuw, die in lome spiralen neerdwarrelde en zich in strepen en flarden op de vlakte neervlijde, leek symbolisch voor de onzinnigheid van de razende, blinde haast waarmee hij zijn manschappen die week had voortgejaagd. Gekonkel, lafheid en corrupt geruzie om het leiderschap hadden de veldtocht verziekt, en de tarkhan met zijn romantisch zwartgallige veteranenblik voelde aan zijn water dat de Chazaren kansen waren misgelopen die zich nooit meer zouden voordoen. Er was geen hoop meer voor een rijk dat de lust in het grootse, verschrikkelijke avontuur had verloren.

Zijn sombere gepeinzen werden onderbroken door de terugkeer van zijn adjudant, die bij de voorhoede was wezen kijken en wiens brede Bulgaarse gezicht nu strak stond van het nieuws dat hij al die tijd had moeten binnenhouden.

'Een karavaan,' zei de Bulgaar. 'Radanieten, zo te zien.'

Een paar stadiën verderop, waar de heirbaan eindelijk na de heuvels de vlakte van Atil bereikte, vermengde zich een bescheiden stoet paarden en karren met de hoofdmacht van het Krimleger; de tarkhan steeg af en liep naar de voorste kar van de Radanitische karavaan, een bovenmaats, zwaar houten geval met enorme wielen met pennen waar de tarkhan haast niet overheen kon kijken, en bespannen met vier machtige, bultige ossen, als wisenten zo ruig. De voerman was een jonge handelaar met een wezenloos lachje op zijn gezicht. Aan zijn ene kant zat een oude mummie met een gelaat als van gelooid vlees, mager, donker en met ogen, zo menslievend als die van een adelaar. Aan de andere kant van de onnozel ogende voerman glimlachte een kolossale, dikke Radaniet met een onverklaarbaar vorstelijke houding welwillend op hem neer en zijn puddinggezicht straalde zoveel zelfvoldaanheid of genoegen uit dat de tarkhan onmiddellijk smokkelwaar of belastingontduiking vermoedde, een gedachte die hij meteen weer verwierp omdat hij wel wist dat dit slag nooit zo met zijn listen te koop zou lopen. Toen viel hem in dat die opgewekte hooghartigheid zélf misschien wel een list was, en hij gaf bevel de kar uit te laden en de inhoud te vergelijken met de vrachtbrieven en de heffingsbewijzen van het tolkantoor van Atil.

'Uwe excellentie zal zien dat onze papieren in orde zijn,' zei de oude mummie. 'Al is het ons niet licht gevallen ze te bemachtigen – het was hedenmorgen zeer rumoerig in het paleis.'

Zo vernamen de tarkhan en zijn mannen de dood van de kagan. Hij beval de manschappen af te stijgen met het gezicht in de richting van het paleis, en er klonk een luid geruis als van een windvlaag door stug gras toen iedereen met krakende wapenrusting op de weg knielde en zich op de harde, halfbevroren grond neerwierp.

'Heel triest,' zei de grote, dikke Radaniet en zijn wangen trilden meewarig. 'Werkelijk tragisch.'

De tarkhan liet halt houden, gaf bevel een vuur aan te leggen en nodigde de kooplieden uit plaats te nemen. Hij ondervroeg hen langdurig, en wellicht viel het hem in zijn toenemende agitatie en verwarring niet op dat zijn gesprekgenoten ongevraagd inlichtingen, speculaties en ongegronde geruchten prijsgaven, iets ongehoords wat een Radaniet eigenlijk nooit zou doen. De sneeuwvlokken vielen met een eindeloze koorzang van spottend gesis in het vuur, en terwijl de sneeuw op de soldaten, de karren en de ritselende bladeren van de buxusbomen bleef liggen en de Radanieten aan het eind van hun getuigenis over de doortraptheid en de wandaden van de stroman en lakei Boeljan kwamen, diende zich bij de tarkhan de akelige vraag aan wat hij nu moest doen. Hij had weliswaar een afkeer en weinig begrip van politiek, maar was gewend erdoorheen te moeten waden, zoals hij bij een bestorming door de glibberige laag bloed op de grond heen moest. Bij de manschappen, onder wie zich veel mohammedanen bevonden, deden al verhalen de ronde over de slachting onder de Arsiyahs. Verraad, koningsmoord, opstand – en op zeven dagmarsen achter hem op de Krim een stad vol vette buit die hij ongekastijd had moeten laten liggen. En nu opperde die grote wisent van een Radaniet doodleuk, met alle respect en alsof dat voor een generaal niet de meest ongewenste opmerking aller tijden was, dat de toekomst van het kaganaat misschien wel in zijn bekwame handen lag.

'Wie zijn dat?' vroeg de oude mummie, die langzaam overeind kwam. De tarkhan keek om en zag over de weg vanuit de stad drie ruiters naderen. Een van hen was een jongeman met dikke beenkappen, een gevoerde Griekse tuniek en een besmeurd leren harnas van het soort dat de Varjagen droegen, maar met het gezicht en de onmiskenbare groene ogen van een Chazaar. De andere twee waren een zwarte reus en een magere, bleke kerel, gehuld in een allegaartje van lompen en wapenrusting. De grootste nam hen op met een blik die de generaal herkende als een geoefende taxatie van hun sterkte, bewapening en conditie zonder iets van zijn gevolgtrekkingen prijs te geven, en bij de magere kon er alleen een beleefd minachtende blik af, alsof hij legers slechts een noodzakelijk kwaad vond. De jongste reed recht op de tarkhan af, die naar zijn zwaard greep. De groene ogen deden de tarkhan ergens aan denken – aan de gekmakende geur van lindebloesem die op de vooravond van de Slag bij Balanjar in de schemering had gehangen in de weide boven de diepe kloof waar het verre bulderen van een rivier uit opklonk, en aan de groenogige beg die zijn bevelhebbers die avond moed inzong met een lied over de held Dede Korkut. Hij liet het gevest van zijn zwaard weer los.

'U kent me,' zei de jongen.

'Ik ken je,' zei de tarkhan, nog niet helemaal overtuigd.

'Ik heb op uw knie gezeten, Chorpan,' zei de jongen. 'U hebt me een verhaal verteld over mijn naamgenoot Alp Er en de wolf. U hebt me een hoornen boog gegeven, weet u nog? Nu hebben mijn vrienden en ik de kluisters afgeschud waarmee we aan de roeibanken van de Varjagen geketend zaten en zijn we van de rivier landinwaarts gekomen om u te zoeken.'

'Met welk doel?'

'Met het doel het bevel over dit leger over te nemen,' zei de jongen, 'en al Boeljans misdaden te wreken.'

De generaal hoorde iets in de stem van deze Alp wat hij niet helemaal kon thuisbrengen, en hij zag iets in het gezicht waar hij in wilde geloven. Hij wendde zich van de jongen met de bekende blik naar zijn soldaten, die waren opgestaan en nu met voorgewende nurkse onverschilligheid naar dit onderhoud van hun generaal met deze baardeloze knaap stonden te kijken. Misschien won hun verlangen nog een dag langer te leven het van hun strijdlust, maar als aan die laatste hun afschuw van het nietsdoen werd toegevoegd, sloeg de balans door. Zelf wilde hij niets liever dan zijn moed en zijn rechterarm gebruiken en alle vragen over geloof en vertrouwen, reflectie en verlangen aan anderen overlaten, die daarmee maar moesten doen wat ze wilden, of dat nu de dood van manschappen, generaals of keizerrijken betekende.

'Ik moet toegeven dat uw voorstel me wel interesseert, om van uw vermetelheid nog maar te zwijgen,' zei de tarkhan. 'Maar ik moet u er toch op wijzen dat die boog van essenhout was, niet van hoorn.'

De jongen knipperde met zijn ogen. De bleke, magere ruiter kuchte achter zijn hand en deed een niet geheel geslaagde poging zijn hilariteit te verbergen. Het paard van de reus botste als per ongeluk tegen dat van de groenogige jongen en verloste hem zo met een schok uit zijn twijfels.

'Ach, natuurlijk,' zei de knaap.

◆

HOOFDSTUK VIJFTIEN

Over het volgen van de weg naar 's mensen lotsbestemming, met de gebruikelijke interrupties van geweld en genade

Een halve dag lang schuifelde de kapitein der boogschutters – een javshigar in het Chazaarse leger die reeds vijftien jaar onder de menoravlag diende – nu al onrustig heen en weer, plukte beurtelings aan zijn snor en aan de vingers van zijn handschoen en leed, terwijl de krijgerkoning aan wie hij trouw had gezworen met eden zo oeroud en bindend dat zelfs de macht van de jaarlijkse Herfstverwerping die niet kon verbreken, om het behoud van het Huis Boeljan stond te smeken en te marchanderen bij een barbaarse, opschepperige Varjaagse slager die door de wisselvalligheden van zijn plunderaarsbestaan nog slechts een half gezicht over had.

Net als in later eeuwen kon men het er in die dagen niet over eens worden waarvoor de Noormannen door hun hebzuchtige, kijfachtige goden beter waren toegerust: de handel of het slachtersvak, maar de boogschutterkapitein vond dat die gaven elkaar aardig aanvulden. Uren achtereen stonden de beide mannen te sjacheren; de vrouw van de beg stond naast hem en zijn kinderen jengelden of gaapten de Varjaag stomverwonderd aan. De Noormannen hingen als witte bergen in bloedbevlekte tunieken onderuitgezakt op de kade en hitsten Ragnar Halfgezicht op om die smerige Chazaarse gladjakker ondersteboven bij zijn enkels te houden en uit te schudden tot de laatste dirham uit zijn zakken viel. Om hen heen kwamen Boeljans slaven in lange rijen van de Qomr gewankeld met zakken vol goud en edelstenen en armenvol gouden en zilveren schalen, ivoor, zijde, specerijen en geurig hout, de prijs voor een veilige aftocht voor Boeljan en zijn hofhouding. De Varjagen roeiden de buit naar hun schepen en roeiden weer terug, hijgend, grijnzend en hongerig naar meer. De boogschutterkapitein stond te hummen en te hemmen en keek zijn mannen zuchtend aan alsof die inhaligheid en de schande een onvermijdelijk maar onbelangrijk deel van 's mensen droeve lot waren, vergelijkbaar met de scherpe tong van je echtgenote, maar hij voelde de verontwaardiging als een hete naald in zijn buik ronddraaien. Hij bad tot zijn eigen God der Wrake, Jehovah, dat een gerechte bliksemstraal de Varjaagse hoofdman met de vuile halve grijns mocht treffen of dat de schoft anders ten minste eindelijk tevreden mocht zijn, en dat Chazarië eens en vooral mocht worden verlost van de schandvlek van de lafheid, de stank van de Noormannen en de rampzalige heerschappij van de troonrover Boeljan. Maar toen de kapitein de slaven met de nieuwe olifant naar de kade zag komen en de hevige ontsteltenis voelde die alle stoere Chazaarse boogschutters van zijn compagnie doorsidderde, bemerkte hij dat het gebed tekortschoot om zijn verschrikkelijke verontwaardiging te verlichten. Hij plantte zijn gepantserde helm steviger op zijn hoofd, schraapte zijn keel en beende met de hand op het gevest van zijn Damasceense ponjaard en dreunende hakken over de kade naar de man die de miserabele moed had gehad zichzelf tot beg uit te roepen, en met neergeslagen ogen en een houding die nog de sporen droeg van een heel leven van gehoorzaamheid, maar helder en duidelijk zei hij: 'Tot mijn spijt moet ik u in hechtenis nemen, geëerde Boeljan.'

Op dat moment stonden alle Noormannen eensgezind op en trokken hun wapen of spraken gretige beloften uit tegen hun bijl. Ze waren met minstens tweehonderd man en het gerucht ging dan wel dat ze verzwakt waren door loslijvigheid en leverkwalen, maar het bezit van een koningsschat en het vooruitzicht op een olifant en een gelegenheid tot bloedvergieten fleurden hen zienderogen op. De boogschutter beschikte over twintig man, wier schutterskunst op deze korte afstand niet tot zijn recht kwam en wier dolken ontoereikend waren. Hoog op de muren van de stad stond nog een compagnie boogschutters naar beneden te kijken, allen uitstekende vaklieden en net zo verontwaardigd over het schandaal van de geroofde olifant als de kapitein, maar op deze schootsafstand was hun greep op de situatie ongetwijfeld beperkt. De botte, nurkse Kolchiërs die de persoonlijke lijfwacht van de beg vormden, hadden een ondoordringbaar gedachteleven en waren alleen hun broodheer trouw.

'O ja?' zei Boeljan verstrooid met zijn blik op het indrukwekkende oude dier, dat met zijn vrouwelijke, heupwiegende gang de helling afdaalde en de polsdikke planken liet schallen. De laatste keer dat de kapitein de olifant had gezien, was ze opgetuigd met een sjabrak en beschilderd als een hoer op een volksfeest, maar nu ging ze waardig gehuld in niets dan haar luisterrijke grijze huid vol littekens, die zo machtig over haar geweldige gespierdheid bewoog dat ze in de ogen van de kapitein de hele oudheid en macht van het kaganaat belichaamde, en door haar naderende reis van de kade naar de wachtende boot die haar over de rivier naar het thuisland van de Noormannen zou verslepen, waar ze ongetwijfeld in de kou en het donker zou verkommeren, ook een symbool werd voor de ondergang van het rijk. 'Hoe had je dat willen doen?'

En Boeljan trok zijn korte zwaard, en voordat de boogschutterkapitein kon terugdeinzen of zich omdraaien dreef hij het lemmet omhoog in de zachte, onbeschermde streek onder diens arm. Eerst was er geen pijn, alleen een ondraaglijke droefheid, hitte en de bedorven adem die Boeljan fluitend tussen zijn tanden uitstootte, maar toen de kapitein op de kade ging zitten en een van de Noormannen lachte, kwam de pijn alsnog. De Varjagen cirkelden in een woeste kluwen om hem heen als de troep moordzuchtige apen die hij eens ver weg, in het zuiden, in Hind, een dorp had zien aanvallen, zijn mannen trokken hun ponjaard, de kapitein sloot zijn ogen. Tot zijn grote verwondering werd zijn dood aangekondigd of begeleid door schallende ramshoorns, wat hem misschien een tikkeltje overdreven toescheen, maar toen viel er een stilte die meer met zijn verwachtingen overeenkwam; hij sloeg zijn ogen op en zag zijn mannen met hun getrokken ponjaards in de aanslag staan en de Noormannen schouder aan schouder om hem heen draaien als jongetjes die op kattenkwaad zijn betrapt. Van de oever klonk het muntengerinkel van stijgbeugel, maliënkolder en paardenbit, een telkens herhaald geklingel als van een strijdlustig carillon, en hij draaide zich om en zag een leger, het leger, zijn leger, golf na golf van ruiters en voetvolk die kletterend over de kade stroomden totdat de ruimte tussen de kade en de stadsmuren geheel gevuld was. En in hun midden, of aan het hoofd, reed een slanke jongeman met geheven hoofd en volle, minachtend geplooide lippen.

Hij reed de helling af en stak bij het passeren van de olifant zijn hand uit om haar flank te strelen. Bij de boogschutterkapitein aangekomen hield hij zijn paard in en keek omlaag, een prachtige jongeling, snel ademend als een onervaren rekruut die voor zijn vuurdoop staat.

'Bent u gewond?' vroeg hij aan de kapitein van de boogschuttergarde.

'Ik denk dat ik doodga', zei de boogschutterkapitein, die voor een koele dronk niet dankbaarder had kunnen zijn dan voor de aanblik van de jongeman. En nu wierp de jongeling hem ook werkelijk met een ernstig knikje een waterzak toe. Toen sprong hij van zijn paard, vloog zonder waarschuwing of list op Boeljan de troonrover af en haalde naar hem uit met een houw van zijn zwaard alsof dat een bijl was. Het was een onhandige uitval en Boeljan, een van de beste zwaardvechters van zijn volk en zijn generatie, ontweek hem moeiteloos en stapte opzij. Het zwaard kwam fluitend omlaag en begroef zich met een vals klinkende galm in het hout van de kadevloer, en terwijl de knaap eraan rukte om de punt uit de greep van het harde hout te bevrijden boog Boeljan zich naar hem toe, tuurde nieuwsgierig naar zijn gezicht, greep hem vast, sloeg zijn lange armen om hem heen en deed toen iets wat de boogschutterkapitein, en met hem ongetwijfeld ook alle anderen die deze middag op de kade aanwezig waren, mens of dier, vreemd vond: hij besnuffelde hem.

'Jij,' zei hij – onthutst of verrukt, dat viel moeilijk uit te maken. De jongeling worstelde, schopte en spartelde en probeerde zijn hoofd zover te draaien dat hij Boeljan kon bijten, maar de troonrover hield hem moeiteloos in bedwang. Hij lachte een geforceerde lach waarin niettemin oprechte verbittering doorklonk en wendde zich tot het leger dat roerloos op de oever stond toe te kijken. 'Dus dit is jullie nieuwe beg?' riep hij. En hij trok zijn ponjaard en hield die tegen de mooie jonge keel. 'Dit is geen beg. Dit is de moeder van een beg. Ze draagt mijn zaad in haar buik!'

De ponjaart flitste en zijn arm ging omhoog. Hij kwam niet meer omlaag. Een dikke grijze rank slingerde zich naar beneden en greep hem vast, en gelijk een Varjaag die plechtig een amfoor wijn soldaat maakt hief hij Boeljan in de lucht en smakte hem tegen de kade. De lucht werd sissend uit zijn longen geslagen en enkele van zijn botten braken hoorbaar; hij bleef verdoofd liggen, en niets of niemand bewoog of maakte geluid, alleen de rivier. Boeljans vrouw begon te gillen toen de olifant haar slurf om zijn enkels slingerde, hem weer in de lucht tilde en hem opnieuw tegen de grond sloeg, waarbij ditmaal zijn schedel en zijn ruggenwervels braken. De olifant leek er plezier in te krijgen en herhaalde het procedé nog een paar keer, en toen de boogschutterkapitein eindelijk zijn blik van de massa pulp en leer afwendde, zag hij dat er achter Boeljans tweelingdochters een spookachtig, in het zwart gehuld scharminkel was opgedoken dat zijn lange krijtwitte vingers als een blinddoek voor hun ogen hield. Eindelijk had de olifant er genoeg van, of ze kreeg medelijden: ze sleepte het geradbraakte lichaam over de planken, waar het een bloedig spoor achterliet, en legde het – met een tederheid waarin een sentimentele ziel iets verontschuldigends had kunnen lezen – aan de voeten van Boeljans weduwe.

De jongeling stond trillerig op, trok zijn zwaard los en draaide zich langzaam om en om. De Varjagen haastten zich al naar de boot die ze voor het vervoer van de olifant hadden bestemd, waarbij ze een aanzienlijke mate van levendigheid en zelfs een laf soort gratie aan de dag legden. De jongeling wees naar Ragnar Halfgezicht, die in zijn haast om te vluchten over een aantal rollen fraaie blauwe zijde uit Khitai struikelde, en een grote man met een huid met het patina van aangeslagen koper snelde achter hem aan, verrassend lichtvoetig voor een grijsaard, greep de Varjagenhoofdman en sleurde hem terug naar de jongeman.

'Wie ben jij?' vroeg Ragnar.

'Ik ben Alp,' zei de jongeman, en toen herkende de boogschutterkapitein hem; hij herinnerde zich een parade of troepeninspectie waarbij hij de doordringende groene ogen, kenmerkend voor het volk van de moeder van deze knaap, eerder had gezien.

'Jij bent Alp niet,' zei Ragnar. 'Al lijk je wel op hem. Maar Alp is dood, die stierf geketend aan een roeibank, bloed spuwend over de flank van mijn schip.'

De jongen greep naar zijn zwaard, maar nu schoot de bleke hand van het scharminkel uit en greep de pols van de knaap.

'Genoeg,' zei hij.

'En jij zult nog een veel ellendiger dood sterven,' zei de reus met de donkere huid, 'tenzij je alles teruggeeft wat je langs de kust van deze zee hebt geroofd.'

De reus dwong hem op de knieën en Ragnar boog het hoofd; zijn vettige gele vlechten vielen voor zijn gezicht. Toen keek hij weer op en richtte zijn sluwe koopmansblik eerst op de bleke man en toen op de donkere, zijn halve gezicht vertrokken als in bitterzoet plezier.

'Wat een stel oplichters!' zei hij bewonderend. 'Struikridders die een heel koninkrijk ritselen! Wie zijn jullie?'

Maar zo er al ooit een antwoord op die vraag gekomen is, heeft de boogschutterkapitein dat niet meer gehoord.

Die avond verwelkomden Zelikman en Amram de sabbat in het bordeel aan de Steurstraat, samen met Hanukkah, Sarah, Bloem des Levens en een aantal ongelovige hoeren die even weinig kwaad zagen in het vieren van de heilige dag van dit land als in het bevredigen van de behoeften van zijn mannen. Vrouwen zowel als mannen bedekten het hoofd, verborgen hun gezicht achter hun handen en zegenden het licht. Toen de kaarsen opgebrand waren en de eerste klanten van die avond – vreemdelingen, zeelui, christenen en afvalligen – zich aandienden, trok Amram zich met Bloem des Levens in een slaapkamer terug. Een voor een stond iedereen op van tafel en begaf zich achter het gordijn om aan het werk te gaan, totdat alleen Zelikman en Hanukkah achterbleven.

'Waar gaat u nu heen?' vroeg Hanukkah.

'Ik was de grote wijze die had voorgesteld de weg van de Zwarte Zee naar de Kaukasus te volgen,' zei Zelikman. 'Nu is het zijn beurt om te kiezen.'

'Ik zou met u mee kunnen gaan,' zei Hanukkah; hij trok aan zijn mollige kin alsof hij dat idee eerst op zichzelf wilde uitproberen.

Zelikman boog zich naar hem toe en klopte hem op zijn knie. 'Jij moet een vrouw redden,' zei hij.

'Daar heb ik het goud niet voor.'

'Kom eens mee,' zei Zelikman, en samen liepen ze door de kronkelende gang van het openbare gedeelte naar een klein kamertje, nauwelijks groter dan een privaat, waar Zelikman de

'Wat een stel oplichters!' zei hij bewonderend.

nacht wilde doorbrengen omdat hij geen zin had zijn melancholieke stemming te bederven of Amrams genot ermee te verstoren. Hij maakte een van zijn leren tassen open, haalde er een zak dirhams vermengd met gouden scudi en Griekse munten uit die ongeveer de helft vertegenwoordigde van het loon dat hij voor zijn diensten van de nieuwe beg van Chazarië had gekregen, en overhandigde die aan Hanukkah.

'Ik betwijfel of ze de helft hiervan waard is,' zei hij korzelig. 'En ga nu weg en laat me met rust. Ik wil mokken.'

Hanukkah omhelsde en kuste hem; zijn adem rook wijnbevangen en zijn emotioneel vertoon ergerde Zelikman, die de kleine bandiet met een trap tegen zijn zitvlak heen zond. Daarop knielde Zelikman op de grond naast zijn brits en bracht het volgende uur door met het inventariseren en ordenen van zijn voorraad kruiden en artsenijen; hij dacht aan zijn vader, ver weg in het mistige, troosteloze Regensburg, en vroeg zich af hoe die de nederige, oprechte, zelfs bloemrijk verontschuldigende herroepingsbrief zou opvatten of beantwoorden die Zelikman hem van de verschrompelde oude Radaniet had moeten schrijven, bij wijze van tegenprestatie omdat eerst hijzelf en daarna de kagan zich als lid van de clan had mogen voordoen. Toen hij alles had ingepakt, haalde hij zijn pijp en zijn laatste restje hennep tevoorschijn. Hij bleef lang met de vuurslag in zijn hand zitten luisteren naar het geblaf van de honden en de klaaglijke klanken van de rebab die ijl en droevig door de sneeuwlucht zweefden. Hij wilde de pijp juist aansteken toen hij voetstappen voor zijn deur hoorde. Hij greep naar Lancet, maar ze was de kamer al ingeglipt voordat hij zijn vingers om het gevest kon sluiten. Ze was als meisje naar hem toe gekomen, in een lange wollen rok en een wollen mantel waarvan de kap met een gevlekte bontsoort was afgezet. Er zat sneeuw in haar wimpers en op het bontrandje van de mantel, en ze bracht een metalige sneeuwgeur met zich mee. Hij stond op, ze keken elkaar aan en stapten toen snel op elkaar af alsof er nog net tijd was voor een heimelijke omhelzing voordat de vijand, of een waakzame chaperonne, hen kon overvallen.

'Ik heb nog nooit een vrouw gekust,' bekende hij toen ze elkaar loslieten.

'En een man?'

Hij schudde zijn hoofd.

'Nu heb je het allebei tegelijk gedaan,' zei ze. 'Voorwaar een wapenfeit.'

'Ik zou je graag uitnodigen mijn bed te delen,' zei Zelikman, 'maar dat is erg schamel, en ik vrees ook dat ik me daar niet goed van mijn taak zou kwijten.'

'Mijn vergelijkingsmateriaal is beneden alle peil,' zei ze, 'en het feit dat ik er zelf mee instem maakt jouw gebrek aan vaardigheid misschien wel goed.'

'Dat begrijp ik,' zei hij.

Ze trokken hun kleren uit, kropen onder de dunne deken en warmden hun handen in het donker aan hun vuurtje. Hij stelde, aanvankelijk te snel, vast dat ze inderdaad in alle opzichten een vrouw was, en even was dat voor hen beiden genoeg.

'Ga je naar Afrika?' vroeg ze.

'Misschien,' zei Zelikman. 'Filaq, rijd met ons mee. Met mij. Volg de wegen, aanschouw de koninkrijken.' Hij omarmde haar weer en verbeterde zijn eerste prestatie enigszins. Zij streelde zijn haar en liet haar hand over zijn wang glijden, waar hij de namaak-Radanietenbaard zojuist had afgeschoren.

'Dat is trouwens niet mijn echte naam,' zei ze, 'Filaq.'

'Wil je me zeggen hoe je wél heet?'

'Alleen als je belooft dat je me niet vraagt met je mee te gaan,' zei ze.

'Beloofd.'

Ze laste een effectvolle pauze in en keek hem toen recht in de ogen.

'Ik heet Alp,' zei ze. 'Ik ben de beg en kagan van Chazarië.'

Hij was teleurgesteld, maar zag de dwaasheid daarvan wel in en legde zijn teleurstelling terzijde als een fiool tinctuur waarvan de werkzaamheid was vervlogen.

'Oho,' zei hij. 'Beg én kagan.'

'Het huidige stelsel was erg onhandig geworden.'

'Oplichtster!' zei Zelikman, en terwijl hij haar kuste, wist hij dat niemand haar ooit meer als vrouw zou aanraken. 'Een heel koninkrijk ritselen!'

Toen Zelikman de volgende ochtend wakker werd was ze weg, en daarmee ook de kennis van haar ware naam. Hij ging Amram wekken, maar zijn reisgezel was al opgestaan uit het warme bed van Bloem des Levens en stond op de binnenplaats te wachten, gehuld in een wolvenpels en een ademwolk van de paarden; hij stond te stampen en te klagen over de kou in zijn botten, die te oud waren voor de liefde of het avontuur en om zijn Afrikaanse lijf de halve wereld over te slepen, alleen vanwege een stel olifanten.

'Wil je liever hier blijven?' vroeg Zelikman, die opkeek naar een hoog, smal raam in de stenen muur, waaruit Bloem des Levens nu naar buiten leunde met haar kin in haar hand en een gezicht waarop niets viel af te lezen.

Amram hees zich op de rug van Porphyrogene en zwiepte als enig antwoord met de teugels. En ze namen de eerste de beste weg die de stad uit leidde, zonder zich af te vragen of die naar het oosten of naar het zuiden liep, want de windrichting maakte hun niets uit, ze wisten immers diep vanbinnen al waar ze heen gingen, elk gewikkeld in een dikke pels, en in de eenzaamheid die ze op zo raadselachtige wijze wisten te delen.

Nawoord

De oorspronkelijke werktitel (en voor mijn gevoel de eigenlijke titel) van de kleine roman die u nu in handen hebt, was *Joden met zwaarden.*

Toen ik aan het boek bezig was vertelde ik anderen weleens hoe het ging heten en dan schoten ze in de lach. Ik dacht dan ook dat het wel duidelijk was dat de titel als grap bedoeld was. Het was tenslotte al een hele tijd geleden dat het voor joden waar ook ter wereld gebruikelijk was zwaarden te dragen of te gebruiken, zo lang dat het woord 'joden' (anders dan bijvoorbeeld 'Engelsen' of 'Arabieren') in combinatie met 'zwaard' een anachronisme is geworden dat pijn doet aan je oren, een vermakelijke ongerijmdheid, net zoiets als een onwaarschijnlijke combinatie van voor- en achternaam, of *De kerstman verslaat de marsmannetjes.* Er hebben natuurlijk in de zwaardentijd wel joodse soldaten meegevochten – in de slag bij Austerlitz en bij Gettysburg bijvoorbeeld – en het is algemeen bekend dat in de negentiende eeuw in Rusland joodse jongens werden ontvoerd om in het leger van de tsaar te worden ingelijfd. Al die vechters, en al die joden die voor het eind van de Eerste Wereldoorlog bij de strijdkrachten dienden, met name bij de cavalerie, waren toen waarschijnlijk onder de noemer 'joden met zwaarden' gevallen.

Maar bij het horen van die titel leek niemand meteen een beeld voor zich te zien van ten dode opgeschreven joodse manschappen bij Inkerman, Antietam of de Somme, of van duellerende gearabiseerde hovelingen in het Moorse Granada, niet eens van joodse strijders uit de oudheid zoals Bar Kochba of Judas Makkabeüs, die vermaard waren om hun krijgskunst. Ze dachten eerder aan onooglijke mannetjes met bril en baard die met een sabel zwaaiden, zoals Motel Kamzoil in de rol van piraat. Ze zagen Woody Allen voor zich, terugdeinzend naar de dichtstbijzijnde uitgang, achter een spervuur van *wisecracks* en met angstig trillend rapier. Ze zagen Uncle Manny, de ponjaard tussen de tanden, de broek tot onder de oksels opgehesen, heen en weer zwiepend aan de kroonluchter om vervolgens omlaag te springen en twee snode accountants met de koppen tegen elkaar te slaan.

Goed, misschien heb ik ook niet al te serieus gekeken als ik anderen die titel vertelde. Toch was die oprecht gemeend, of althans half oprecht; misschien zou het juister zijn als ik zei dat ik dit boek geen eerlijker titel had kunnen meegeven dan dit anachronisme, deze tegenstrijdigheid.

Ik besef wel dat het dan nog steeds ongerijmd lijkt dat ik, of een schrijver van mijn literaire richting en generatie, een verhaal schrijf waar iemand met een zwaard in optreedt. Nog maar tien jaar geleden was ik iemand met twee romans en een stuk of twintig korte verhalen op zijn naam waarin geen enkel wapen voorkwam dat ouder was dan een (enkele) Glock 9mm.

Niet één van die verhalen speelde voor 1972 of in een vergezochter of exotischer oord dan een radiostudio in Parijs. De meeste van die verhalen stonden in bedaarde, achtenswaardige en in de regel zwaardloze bladen als *The New Yorker* en *Harper's* en gingen over ongewapende Amerikanen die het eeuwige lot van het contemporaine personage uit een kort verhaal ondergaan – teleurstelling, pech, verlies, zwaarbevochten inzichten en soms een somber soort respijt. Scheiding, dood, ziekte, geweld – huiselijk of anderszins – scheiding, kwade trouw, bedrog en zelfbedrog, liefde en haat tussen vaders en zonen, mannen en vrouwen, vrienden en geliefden, de vergankelijkheid van schoonheid en begeerte, scheiding – dat was het wel zo'n beetje. Eigenlijk dus min of meer mijn eigen verhaal. En de twee romans verwijderden zich in tijd en ruimte al niet verder van mijn eigen werkelijkheid dan de verhalen – noch drongen ze dieper door in het joods-zijn: ze speelden allebei in Pittsburgh en waren ruimhartig gestoffeerd met Pontiacs en Fords en geparfumeerd met marihuana, Shalimar en kielbasa; er kwamen hits van Smokey Robinson en toespelingen op *Star Trek* in voor en er liepen niet-joden of geassimileerde joden in rond, van wie velen overmatig, hinderlijk bewust geïnspireerd, geïnstrueerd en platgewalst waren door de leer van rock-'n-roll en Hollywood, maar niet door bijvoorbeeld de verloren gegane geschriften van de tsaddik van Regensburg wiens commentaren zo belangrijk zijn voor een van de helden uit *Heren van de weg*.

Ik wil niet beweren – laat dat duidelijk zijn – ik wil niet beweren dat ik mijn vroege werk of het genre (laattwintigsteeeuws naturalisme) waar dat voor het grootste deel onder valt, desavoueer of afwijs. Ik ben trots op verhalen als 'Op huizen jacht', 'S Angel', 'Weerwolven in hun jeugd' en 'Zoon van de wolvenman', en van al mijn romans zal *Wonderboys*, het boek dat in zekere zin mijn leven heeft gered, of me althans heeft gered van de noodzaak in een wereld te leven waarin ik voorgoed zou worden afgerekend op de gedoemde tweede roman waarvoor het in de plaats kwam, me misschien altijd wel het dierbaarst blijven. Ik keer me niet af van alles wat ik in het laatste deel van de twintigste eeuw heb geschreven en ik hoop dat de lezers dat ook niet zullen doen. Alleen zult u me er hier, in *Heren van de weg* en in enkele van de recente voorgangers van dit boek, op betrappen dat ik als schrijver probeer wat veel personages in mijn eerdere verhalen – Art Bechstein, Grady Tripp, Ira Wiseman – hebben geprobeerd, waar ze naar hebben verlangd, waar ze aan toe waren: ik ben op zoek gegaan naar een beetje avontuur.

Als die impuls ongerijmd lijkt voor een schrijver van de ('serieuze', 'literaire') soort waarvoor ik heel lang hoopte te worden aangezien, dan valt dat – evenals volgens mij de blijvende populariteit van alle avonturenverhalen – te verklaren met een eenvoudige verwijzing naar het soort méns dat ik ben. Ik heb nooit met een strijdbijl of een zwaard gezwaaid. Ik heb goddank nooit iemand vermoord. Ik ben nooit soldaat of huurling geweest, ben nooit in het holst van de nacht een paleis of een vijandelijk kamp binnengedrongen en heb nooit op een olifant gereden, al heb ik wel – met moeite en zonder een spoor van stijl of zelfvertrouwen – op een paard gezeten. Ik lach niet in het aangezicht van dood of gevaar, verre van dat. Ik heb nooit in de woestijn op een paar slokken brak water en een handje halfverkoolde gierst hoeven overleven. Ben nooit uit de gevangenis, aan de galg of van de galeien van een snelle karveel ontsnapt. Heb nooit mijn hele hebben en houden op het spel gezet met een enkele worp met de dobbelstenen; als ik in Las Vegas aan een goktafel honderd dollar verlies, kan ik wel huilen.

Daar bedoel ik niet mee dat ik nooit een avontuur heb beleefd: ik heb er meer dan genoeg meegemaakt. Avonturen overkomen de niet-avontuurlijken net zo gemakkelijk als de onverschrokkenen, zij het dan misschien minder vaak. Avonturen zijn – al sinds de dagen van Odysseus – een logisch, onvermijdelijk gevolg van het fatale besluit je huis te verlaten of er juist weer terug te keren. Alle avonturen spelen zich af in de verdoemde, magische ruimte, waar je die ook al dan niet toevallig treft, die het minst op thuis lijkt. Zodra je de drempel van je huis of de grens van je streek over bent en het oord betreedt waar de structuren, wetten en gebruiken waarmee je bent grootgebracht niet langer gelden, waar de steun en goedkeuring (maar ook de afkeuring en onderdrukking) van je familie en buren niet binnen je bereik zijn, betreed je het avontuur: een oord van smart, verrukkingen en spijt. Als ik kan kiezen, blijf ik beslist veel liever thuis, waar ik het avontuur veilig kan beleven in een boek, of het kan opzoeken achter mijn toetsenbord, zoals ik hier heb gedaan, in de welgezinde wildernis van mijn computerscherm.

Wat ik probeer duidelijk te maken is waarschijnlijk dat, indien er een zekere ongerijmdheid in zit dat de schrijver van typisch New Yorker-materiaal over echtelijke onenigheid, zoals 'That Was Me' (een verhaal uit mijn tweede bundel), met zo'n zwaarden-en-paardenverhaal komt, dat nog niets is vergeleken met de schatten van ongerijmdheid die te oogsten zouden zijn uit de aanblik van mijzélf op een paard, om maar iets te noemen, of op een wildwatervlot, me tot het uiterste inspannend om er niet af te vallen, of op weg, zoals ik weleens heb gedaan, met wanhoop in het hart en van tevoren al van mislukking overtuigd, maar tot wilde hoop opgehitst door een verraderlijke vriend of brutale vreemde, naar iets Springsteenachtigs in de nacht.

Die incongruentie van schrijver en werk roept natuurlijk die klassieke variant van het avonturenverhaal op (te vinden in de meest uiteenlopende boeken en films, van *Don Quichote* tot *Romancing the Stone*) waarin een toegewijd lezer of schrijver van dit soort materiaal de kans (of de plicht) krijgt zelf 'in het echt' een avontuur te beleven. In dat licht bezien zou de associatie van joden met zwaarden, joden met avonturen, paradoxaal genoeg minder ongerijmd zijn. In de relatie van de joden met hun oorspronkelijke vaderland, die zich steeds verder uitrekkende, steeds dunner wordende streng – gevlochten uit de vrijheid van de zwerver en de slavernij van de balling – die de jood met zijn Thuis verbindt, onderscheiden we de onmiskenbare signatuur van het avontuur. De geschiedenis van de joden draait om de gevaren en ongelukken, de tegenspoed en de rampen, de wapenfeiten van de inspiratie, het zwoegen en de wanhoop, en de gezegende momenten die zich soms voordoen en die allemaal verbonden zijn met het reizen van huis en weer terug – men zou zelfs kunnen zeggen dat dat alles er een glansrol in speelt. In voor- en tegenspoed één lang avontuur – een vijfduizendjarige Odyssee – vanaf het ogenblik van de ware Eerste Geboden, toen God tegen Abraham zei: *lech lecha*, Gij zult uit uw land en uw maagschap vertrekken. Gij zult verdwalen. Gij zult laster, onderdrukking, kansen, ontsnapping en vernietiging ondervinden. Gij zult, per definitie, avonturen beleven. Dat eindeloos lange joodse avontuur lijkt de Conan the Bar-

barians en de D'Artagnans misschien wat tekort te doen; onze grootste helden lijken minder duidelijk geschikt voor waaghalzerij en wapengebruik. Maar misschien ligt het juist vanwege die ongeschiktheid meer voor de hand dat in dit soort verhalen joden voorkomen (of dat ze ze schrijven). Of misschien wordt het tijd om op die traditie terug te kijken, zoals ik hier heb proberen te doen, en ergens een obscuur koninkrijk te zoeken waar een zichzelf respecterende joodse avonturier zich nimmer zonder zijn zwaard of strijdbijl zou willen laten betrappen.

En als u het idee van joden met zwaarden nog steeds raar vindt, kijk dan eens naar uzelf zoals u nu, bijvoorbeeld, in uw vliegtuigstoel zit met uw buitenissige oranje kunststof schoenen aan, luisterend naar digitale muziek, zoals u daar door de lucht van Charlotte naar Las Vegas kruipt en hoopt uzelf – uw huis, uw zekerheden, de grenzen en barrières van uw leven – te verliezen door middel van een bundeltje genaaid en gelijmd houtpulp, bevlekt met kloddertjes pigment en kunsthars. *Mensen met boeken.* En dat in 2007 – is dat niet onvoorstelbaar ongerijmd? Ik kan er wel om lachen.

Michael Chabon